从影子到机器人透视科学书

从影子到机器人透视科学书

文:〔法〕苏菲 · 多瓦
图:〔英〕OKIDO 工作室
翻 译:林德怡

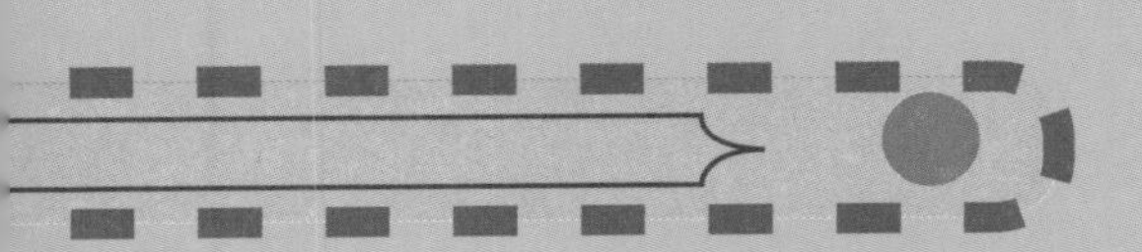

北京联合出版公司
Beijing United Publishing Co.,Ltd.

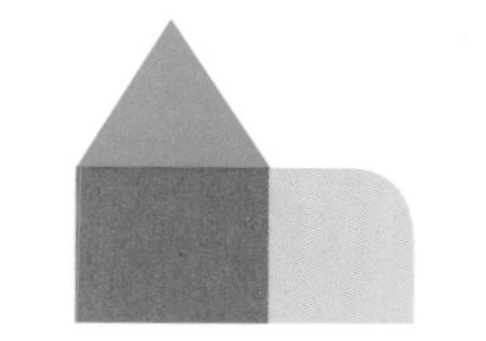

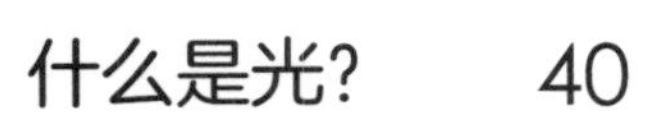

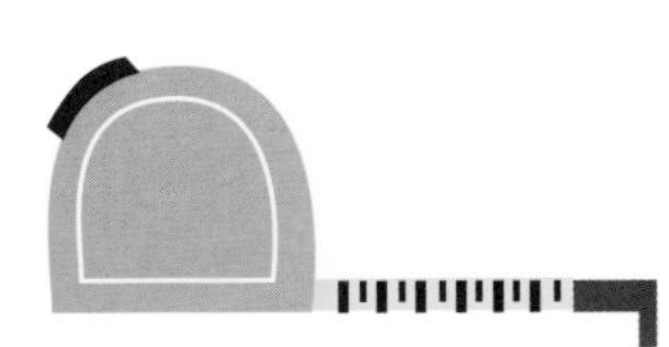

从影子到机器人
透视科学书

我要怎么使用这本书呢?

你想知道万物是如何形成，是从哪里来的吗?
一起去体验看看吧!

跟可可和小艾打招呼

我是可可，我喜欢将东西拆开来研究，看看它们是怎么运作的。

我是小艾，我想自己制造一台机器。

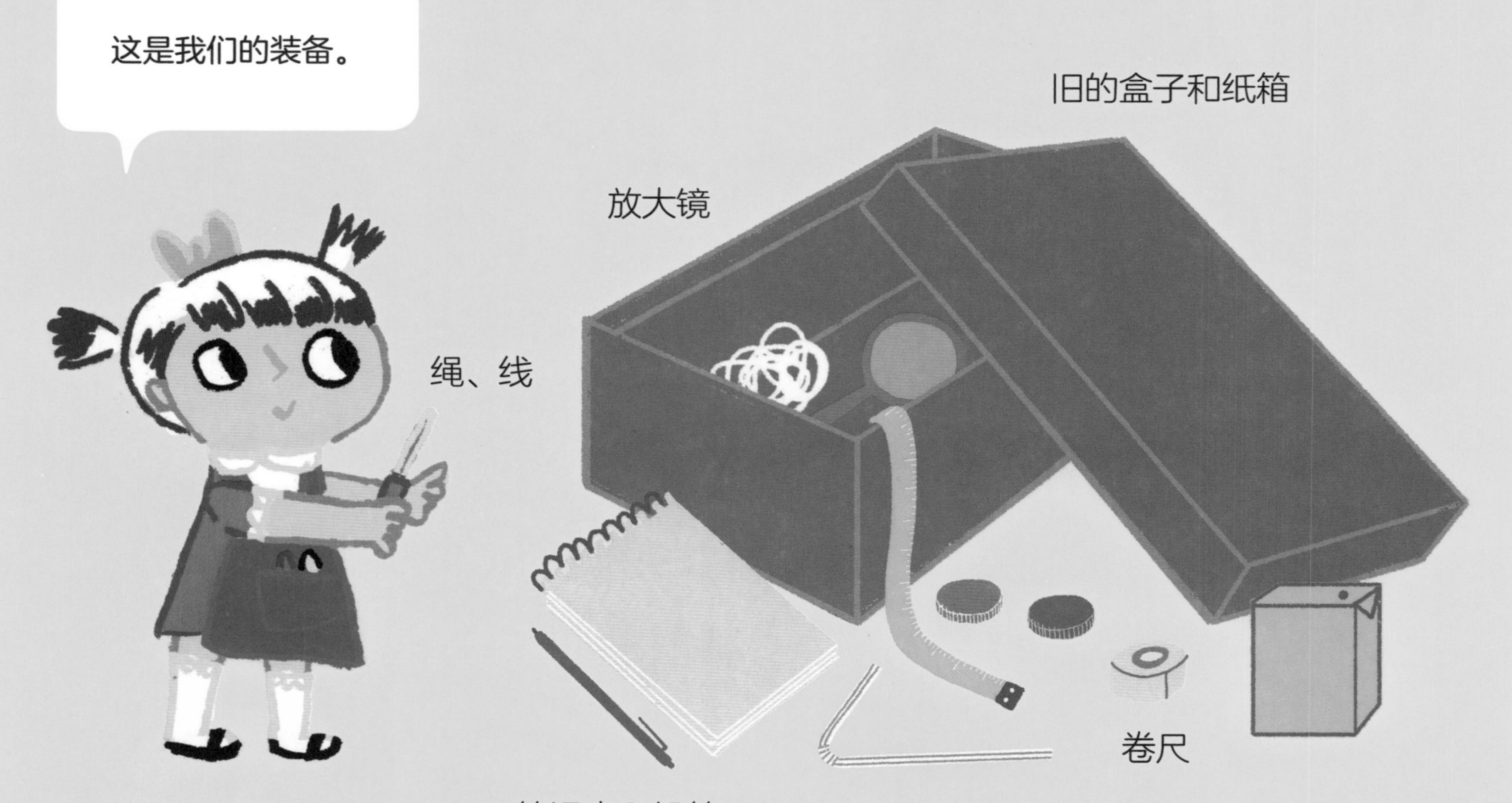

当你看到……

请一位大人协助你。

动手做做看！

认识探索好伙伴

这三位探索好伙伴喜欢探索万物，
他们观察、思考并勇于提问！

我会全面仔细地观察事物。

我总是想知道接下来会发生什么事。

我会观察、记录经过和结果。答案都在第62页到63页！

好！出发……

温暖的家

如何盖房子呢？

小伙伴们想要建造一个新家。

1

我们的新家
需要……

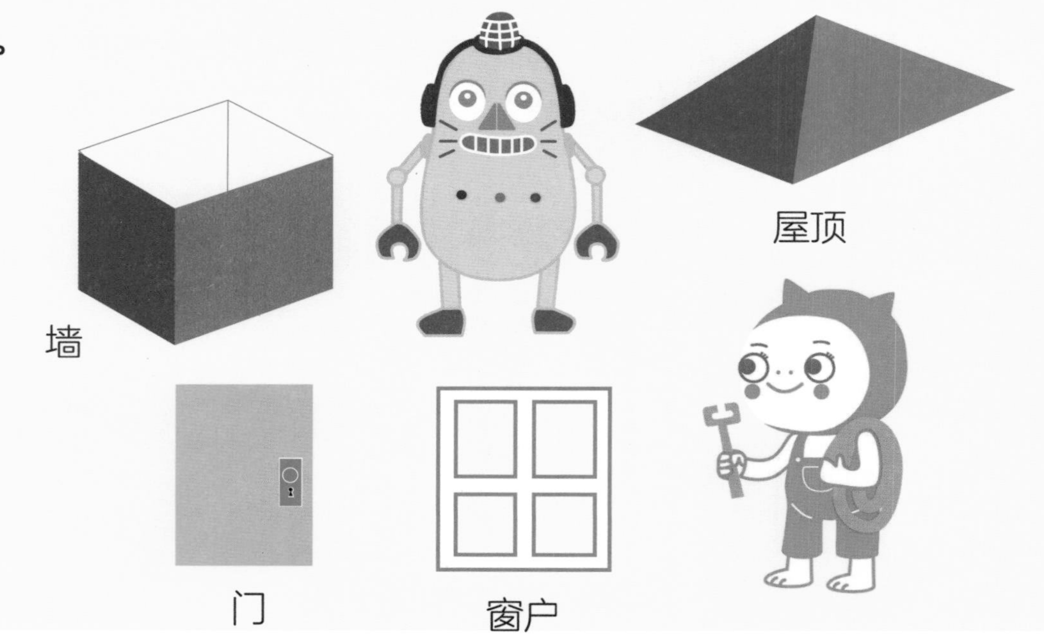

2

新家要建造得很坚固。一起用砖块、石头、木材和瓷砖盖房子吧！

砖块　石头　木材　瓷砖

3

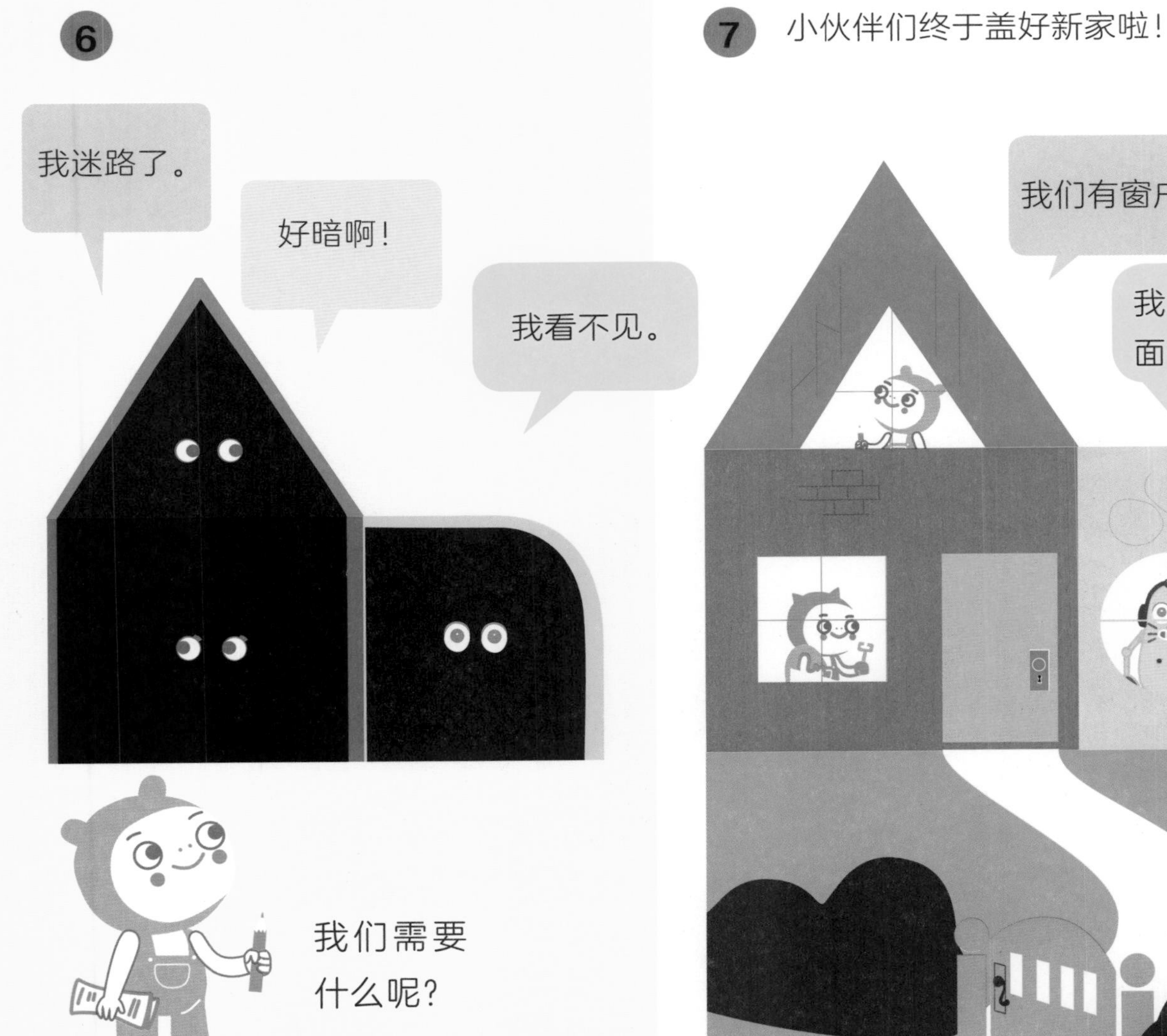

7 小伙伴们终于盖好新家啦！

房子大不同

你住在平房里还是楼房里？家里的墙壁是用砖头还是木板建造的？人类和动物的住处大不相同。来看看各种房子吧！

特别的房子找一找

和朋友们一起玩侦探游戏，找出对方指定的动物或房子。你们可以先从右边六张图片开始！找到小狐狸了吗？

家中的管线迷宫

当你打开水龙头时，会发生什么事情？

当你按下电灯开关，又会发生什么事情？通过弯弯曲曲的水管和电线，将干净的自来水和电导入屋内；同时通过弯弯曲曲的水管和电线，分别将污水和电输出屋外。

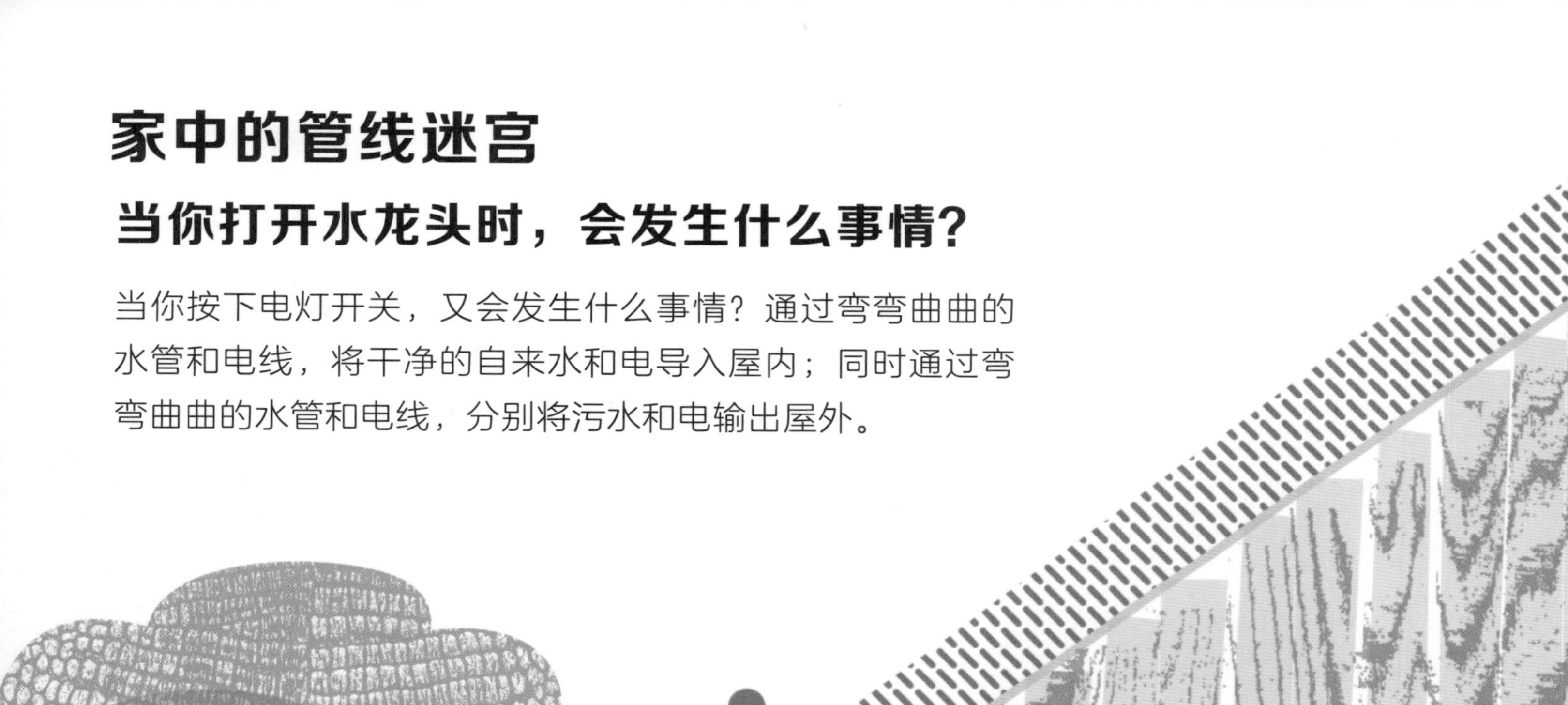

动动手指头，沿着管线走。看看不同颜色的管线在屋内、屋外各有什么功用！

导入 >> 和 输出 <<

水管 >>

污水管 <<

电线 >>

网络、电视、电话线>>

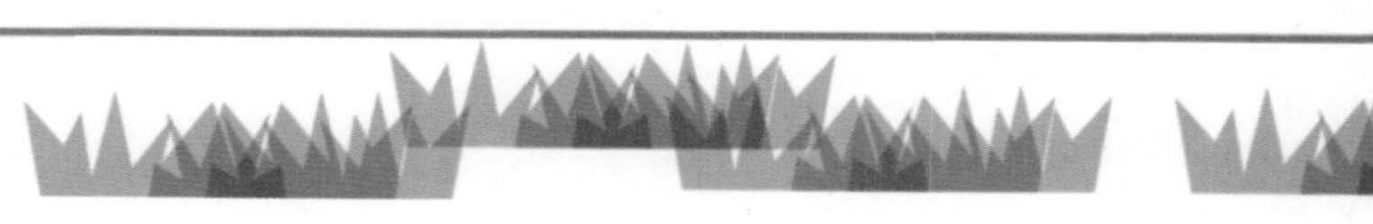

节约能源五妙计

1

离开房间时，请大人帮忙关灯。

2

刷牙时，先关上水龙头。

3

如果不看电视了……

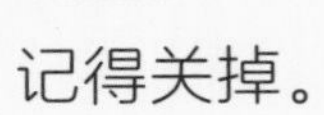

记得关掉。

4

冷的时候多穿件毛衣，就不用调高空调温度了。

5

资源重复使用，做好分类回收。

家用电

在家里，一天24小时都在用电

家里有很多电器都需要电才能运转。没有电，冰箱无法保存食物，你也不能在电脑上玩游戏。来看看可可和小艾全天是怎么用电的。

上午9:00

可可和小艾去上学。

早晨

上午8:30

早餐时小艾吃了热乎乎的麦片粥。

电量表

上午8:00

可可刷牙，并且洗了个澡。

观察电量表，可可和小艾在一天中的不同时间，都用了多少电？

红色－用电

蓝色－没用电

中午12:30

猫咪在睡觉。

家里没人。

下午

下午3:30

放学了！可可和小艾正在回家的路上。

下午4:00

小艾弹电子琴。

傍晚

傍晚5:30

可可看电视。

好玩的材料

一起来玩材料游戏！

想一想，这本书是用什么材料做的？那窗户呢？我们周围有各种各样的材料，例如：纸、玻璃、木头……大多数玩具都是用塑料做成的。像挂钩则是用木头和金属两种材料制作而成的。
动动脑，你知道以下物品分别是用哪种材料制作的吗？

材料清单
木头
塑料
玻璃
金属
纸张
岩石
布料
橡胶
羊毛

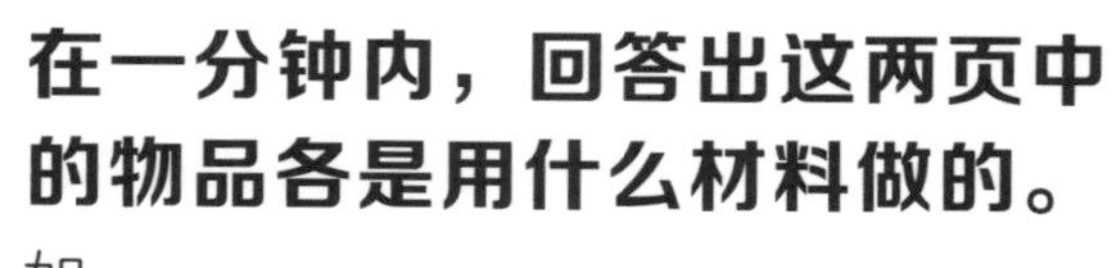

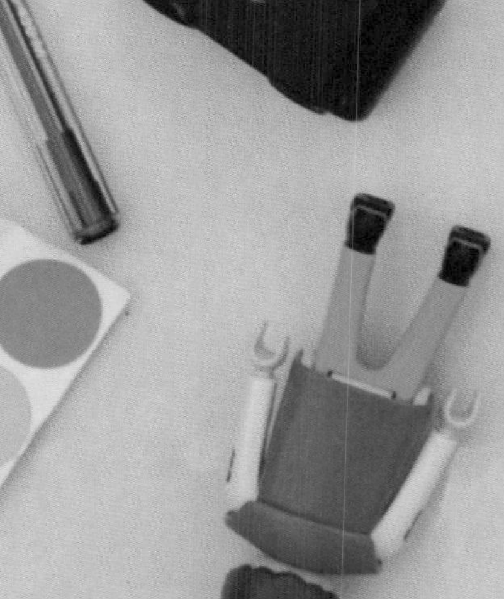

在一分钟内，回答出这两页中的物品各是用什么材料做的。
如：
- 钥匙只用了金属。
- 剪刀用了两种以上的材料。

MERCEDES-BENZ
VEURNE

该用什么材料呢？

可可做了一些物品，但都没有使用正确的材料。
请你帮可可，找出适当的材料制作物品。

羊毛轻盈柔软。

玻璃透明易碎。

木头坚固较重。

塑料轻巧耐用。

纸张轻薄易破。

岩石坚硬沉重。

橡胶有弹性、耐用。

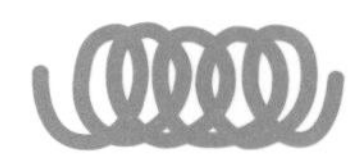
金属坚固耐用、有光泽。

用纸做的锤子？

不够坚硬！可可必须找到更硬的材料来做锤子。她应该使用什么材料呢？

用岩石做的行李箱？

哇，太重啦！那么，可可应该使用哪种轻巧又耐用的材料来做行李箱呢？

用玻璃做的弹力球？

啊，碎掉了！可可应该使用哪种有弹性又耐用的材料来做弹力球呢？

用金属做的套头毛衣？

非常不舒服！可可必须找到轻盈柔软的材料来编织套头毛衣。她应该使用什么材料呢？

用木头做的眼镜？

完全不适合！可可需要借助眼镜看清四周的事物，她该用什么材料呢？

用羊毛做的自行车？

太软了！可可需要牢固耐用的自行车，她该用什么材料呢？

神奇的水

热水、冷水变魔术

水能变换形态。让我们观察一下，当水很烫和很冷的时候，会发生什么变化？

1 水是湿的还是干的？水龙头流出来的水是**液体**，所以摸起来湿湿的。

2 在制冰盒里装满水，再放到冰箱冷冻室里，水会发生什么变化呢？

3 水冻成**冰块**。

4 冰块的外观和水龙头流出的水一样吗？

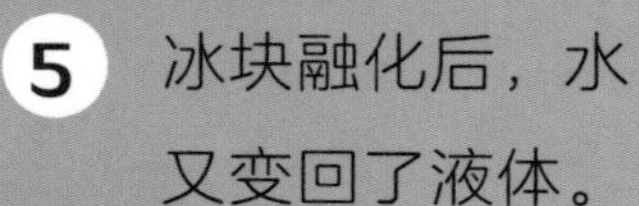

5 冰块融化后，水又变回了液体。

6 用电水壶将水煮沸。

7 滚烫的水产生**水蒸气**。

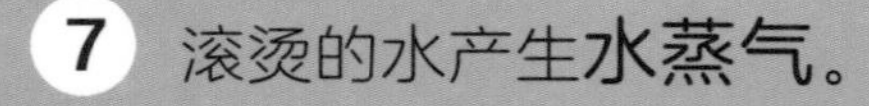

8 观察从电水壶冒出的水蒸气，外观和水龙头流出的水一样吗？

绝不能碰水蒸气！非常烫！

制作酷炫水果冰棒

你需要

1个制冰盒
草莓和香蕉切片
苹果汁
长竹签
一台冰箱

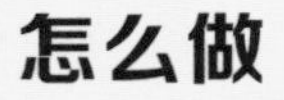

怎么做

1. 将水果片平分到每个制冰格里。
2. 倒入苹果汁。
3. 将制冰盒放入冰箱冷冻室中1小时。
4. 整盒取出，将长竹签插入每个制冰格里，再放进冰箱中冷冻2小时。
5. 和朋友一起享受酷炫冰凉的水果冰棒吧！

油和水可以混合在一起吗?

我们动手做实验来检测吧！

你需要

冰块

食用色素

食用油

玻璃罐

怎么做

1

把适量食用油倒进玻璃罐里。

2

放入三块冰块，分别给冰块上滴几滴蓝色、黄色和红色的食用色素。

3

观察一下，食用色素和融化中的冰块水滴混合后，一滴一滴地沉入食用油里，但食用油的颜色不变。两位探索小伙伴为我们证实了：油和水不能混合。

拯救水资源大冒险

一下雨，到处都是水。人类和其他动物、植物的生长都需要大量的水，所以我们必须节约用水，不能浪费！

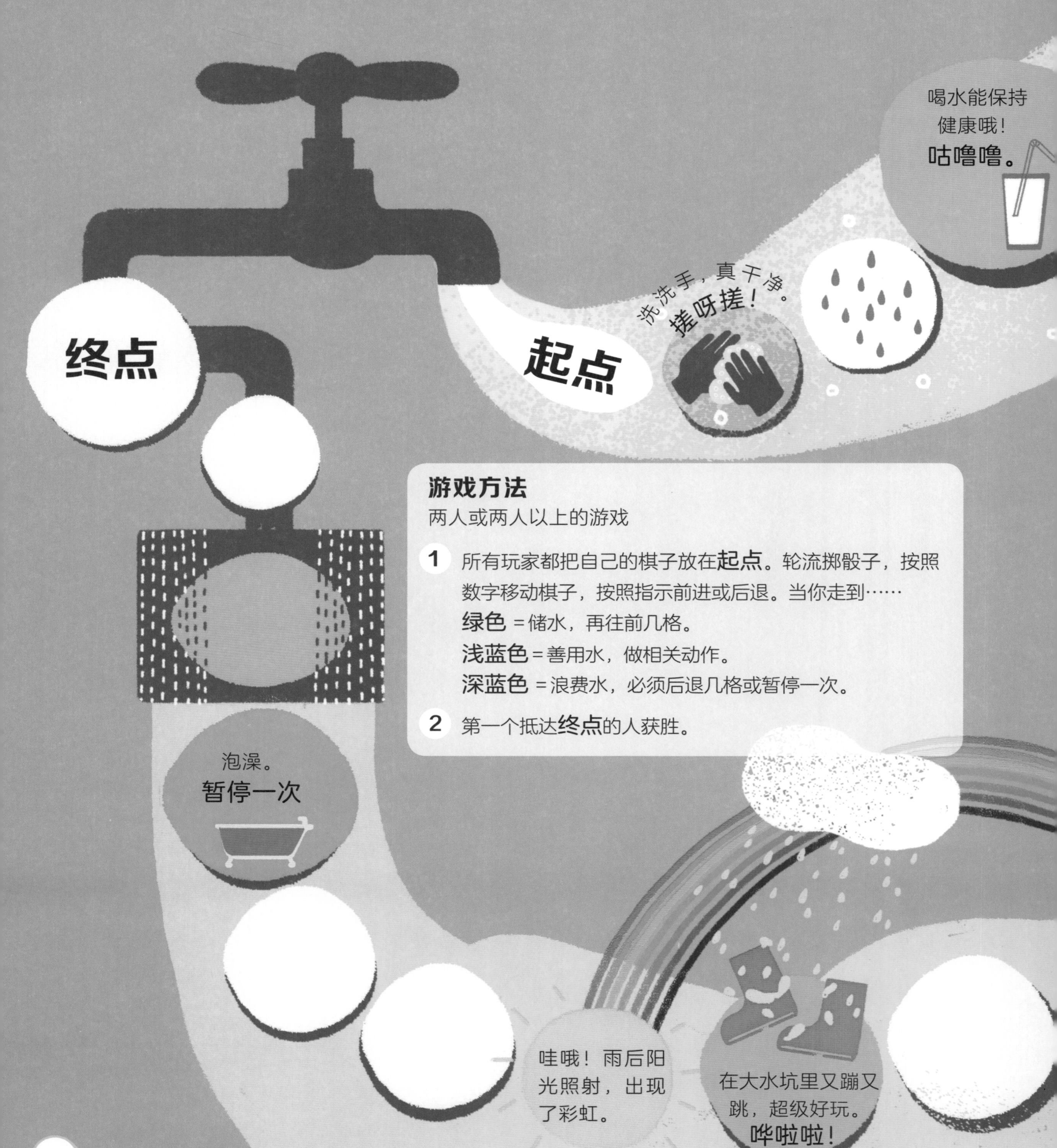

游戏方法

两人或两人以上的游戏

1. 所有玩家都把自己的棋子放在**起点**。轮流掷骰子，按照数字移动棋子，按照指示前进或后退。当你走到……
   绿色 = 储水，再往前几格。
   浅蓝色 = 善用水，做相关动作。
   深蓝色 = 浪费水，必须后退几格或暂停一次。
2. 第一个抵达**终点**的人获胜。

水龙头漏水。
后退3格

下雨了！不用
给植物浇水。
前进3格

用沐浴代替泡澡。
前进3格

你需要
一颗骰子、代表每个玩家的棋子。

刷牙时
关紧水龙头。
前进3格

一直开着水龙头。
后退3格

收集雨水
浇灌植物。
前进3格

与海豚在
大海里遨游。
哇哦！

书的诞生

一本书是如何制作的呢？

是出版团队的工作人员合力完成这本书的。首先，作者对每页的主题产生灵感，写下了内容。

在出版社里……

摄影师拍照，
搜集素材。

插画家绘制插图。

扫描插图，
录入电脑中。

编辑仔细校对、润色文字。设计师确保每页美观易读。

完成稿件的电子文档，会被迅速传送给印刷厂。
在参观印刷厂前，先看看纸张是从哪里来的？

纸张是怎么做成的？

纸张原料来自树木或回收来的旧纸。

树木被砍成一段段的木料，运送到纸厂。

段木经压碎、蒸煮、浸泡后，就形成了纸浆。

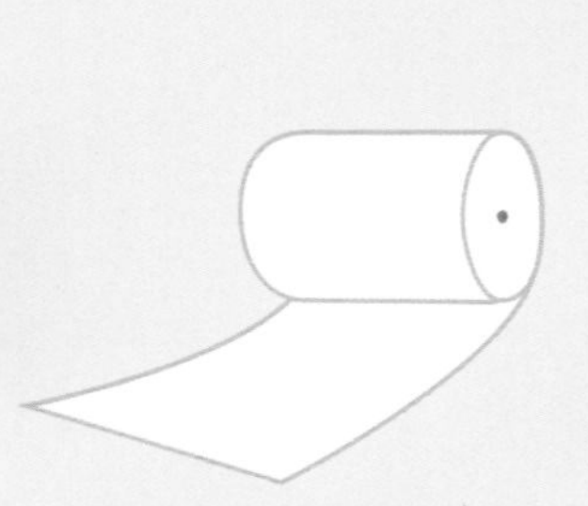

纸浆烘干、压平整后，就制成了纸。

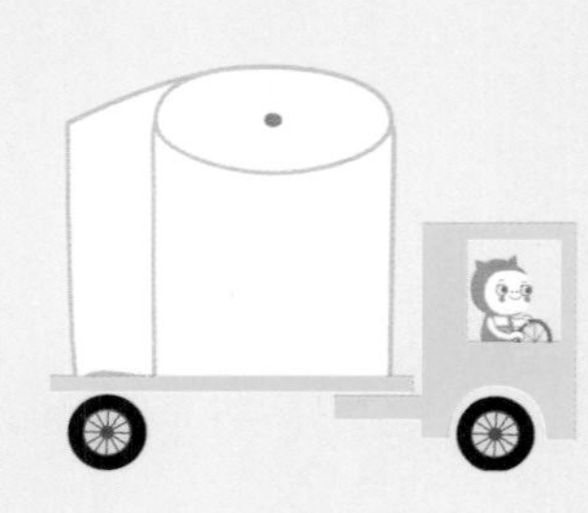

接着，一捆捆的纸被运送到印刷厂。

在印刷厂里还有哪些制作环节？

印刷厂里的机器会将油墨印在纸张上，
就如同你现在看到的这本书哦！

最后要送到哪里？

印好的书页经过对折、裁切，和封面装订在一起。一本书就做好了！

家庭手工时间

制作独家的风琴书吧！

你在商店购买的书籍、衣服等，大部分是由工厂的机器生产的。你也可以在家亲手制作！

你需要

剪刀

纸

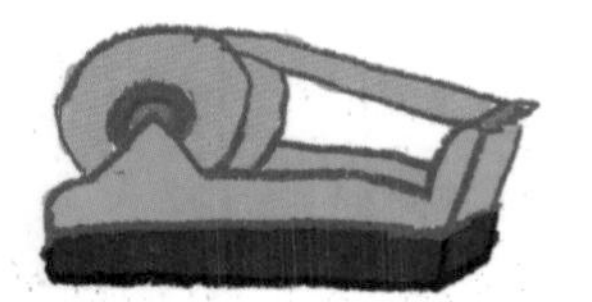

胶带

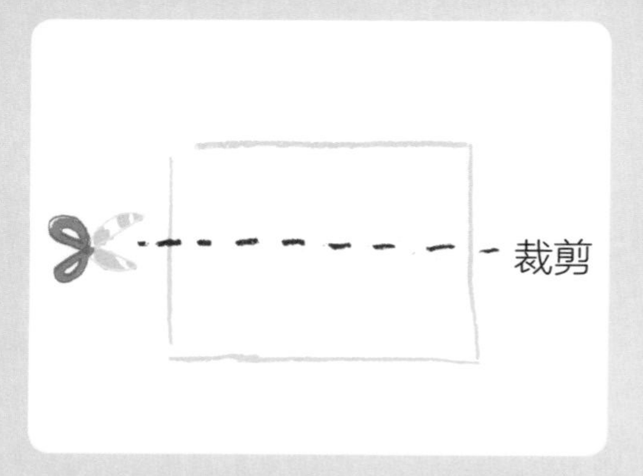

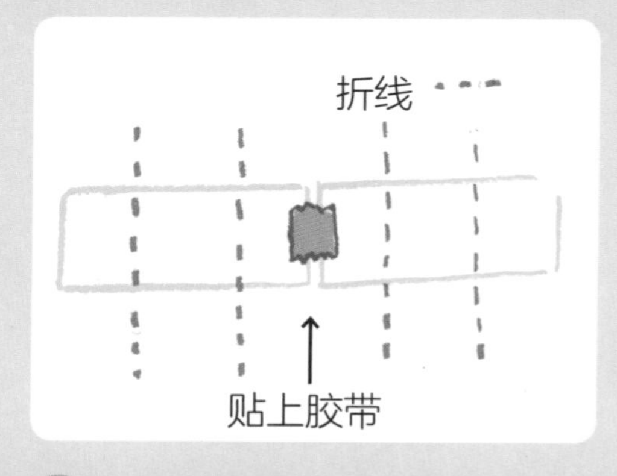

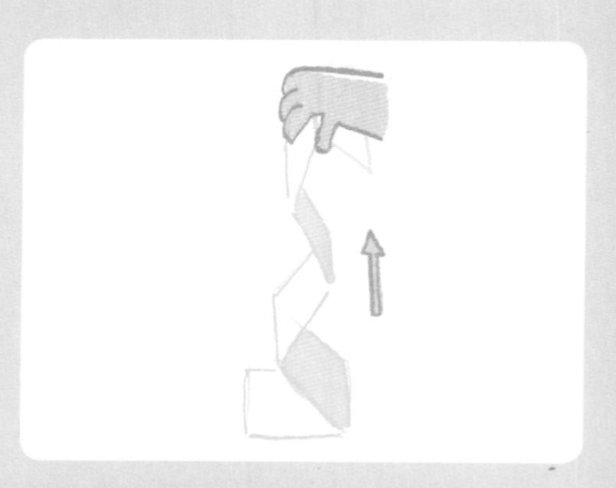

1 将一张A4纸对折后剪开，如上图。

2 用胶带将两张长纸条连接起来。再根据图中所示的折线位置把纸折叠几次。

3 现在，这张纸就像手风琴一样了，如图。

动手做一块美丽的编织杯垫吧！

编织品通常使用羊毛线或其他织线由工厂机器自动化编织而成。试试看，亲手将羊毛线编织成杯垫！

你需要

10厘米 x 10厘米的厚纸板
尺子
铅笔
胶带
三种不同颜色的毛线
塑料钩针
安全剪刀

1 在厚纸板上，距离边缘2厘米处各画一条线，共4条线；在上下边缘处，每隔一厘米标上记号并剪出沟槽，确认每个沟槽长度相同、上下两两对齐。

2 将毛线按由上而下、由左至右的顺序不断环绕，一一卡进沟槽，如图。

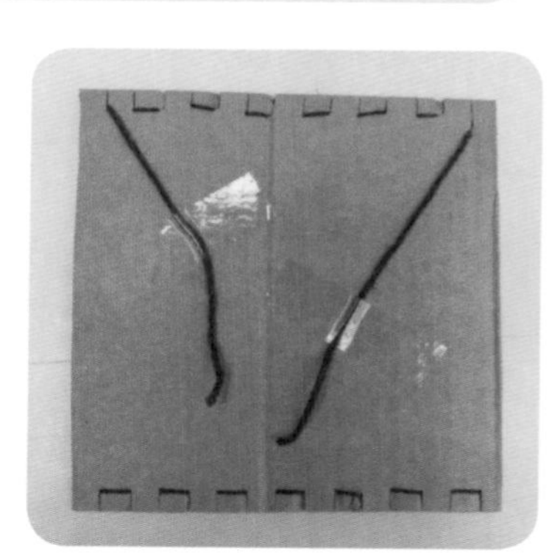

3 翻到背面，用胶带将毛线两头固定住。

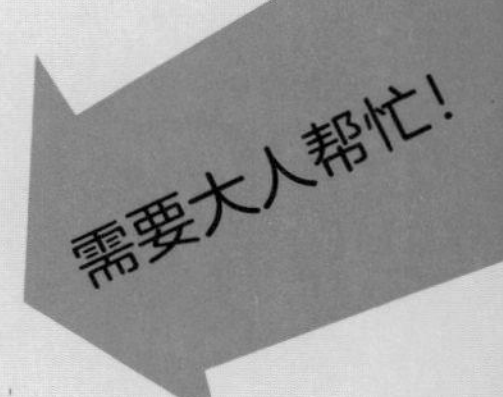

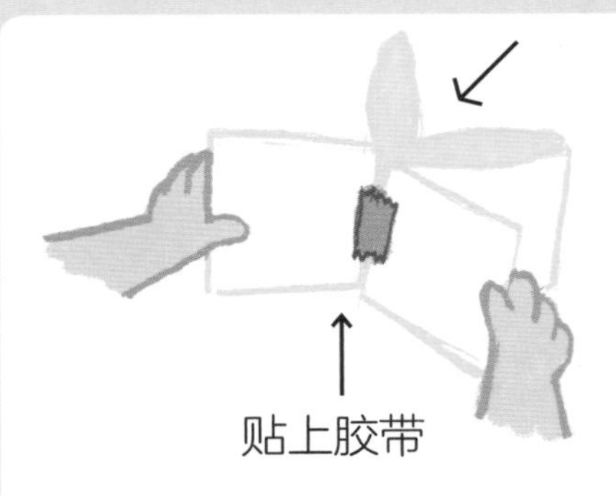

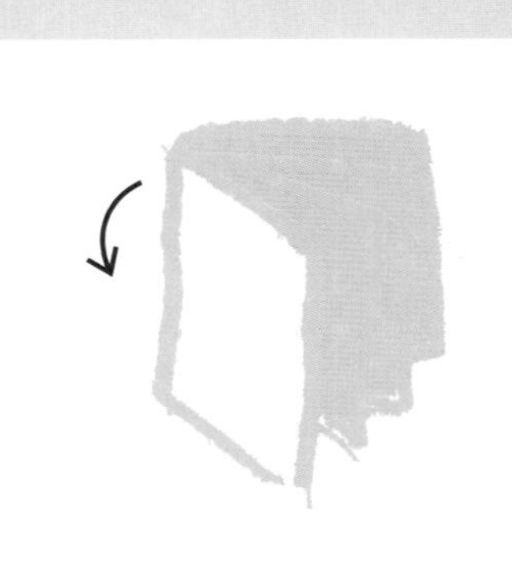

4 拉起纸的两端，往中心点折叠，如图。

5 用胶带将靠在一起的边线粘起来，与里面的胶带也粘好。

6 把纸按折痕合上，就像一本书了。开始创作吧！

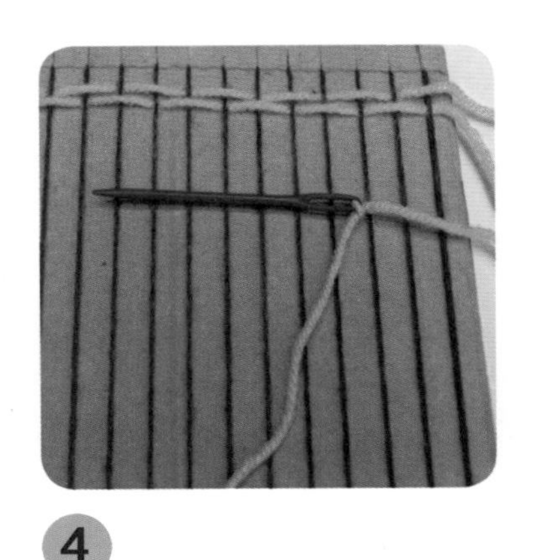

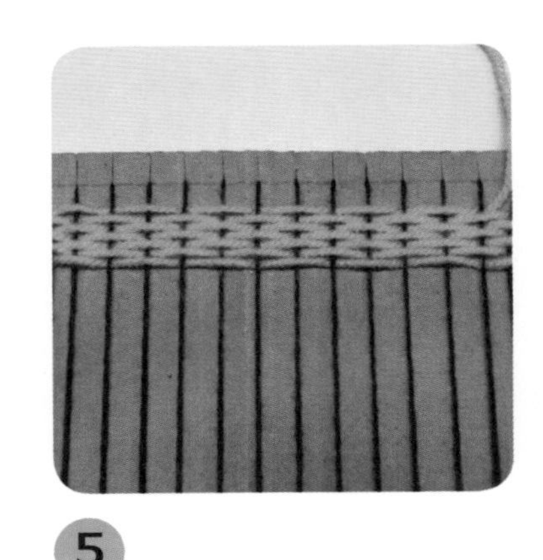

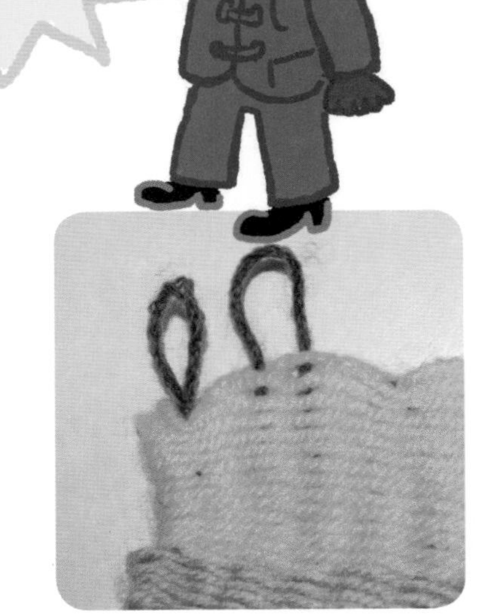

4
把另一种颜色的毛线穿入塑料钩针。依照个人习惯选择从左或右端开始，“上、下、上、下”穿线，和上一步骤的垂直线段编织在一起，如图。

5
编完第一排，继续用同样颜色的毛线、同样方式编织第二排。若第一排的结尾是从上方穿过垂直线，第二排开头则必须从下方穿过垂直线以防脱线；请继续按照同样的规则编织。

6
编好一种颜色后，可以换不同颜色的毛线继续编织。记得不要把线拉得太紧，力道均匀编织才能避免成品扭曲变形哦！

7
移开厚纸板，将所有线头打结、修整；也可以再加点流苏装饰。属于你的独家编织杯垫就完成了。

工具的魔法

刺猬、兔子、小鸟和松鼠在做什么事情呢？

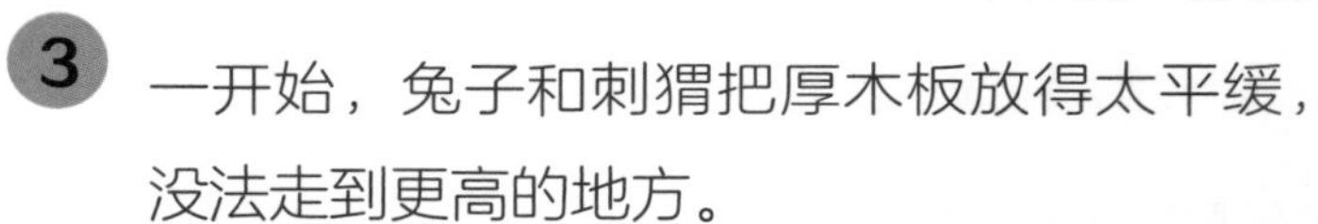

太陡了，刺猬反而爬不上去。

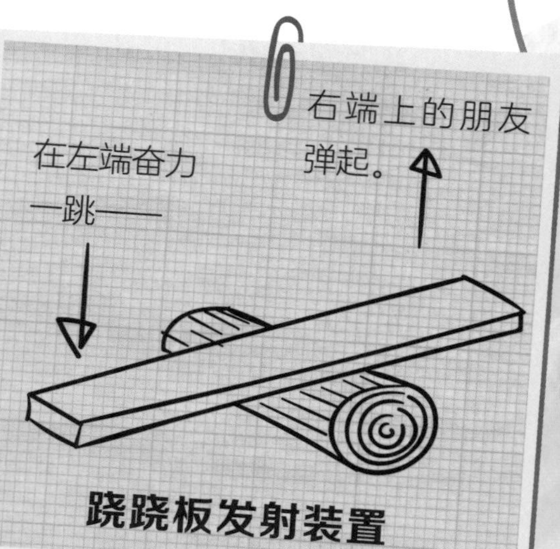

但轮到兔子时，就没有比它更重的动物能把它弹飞到树上了。

松鼠和小鸟用绳子绑住兔子的身体，合力把兔子拉升到树上。滑轮装置帮了动物们好大一个忙呢！

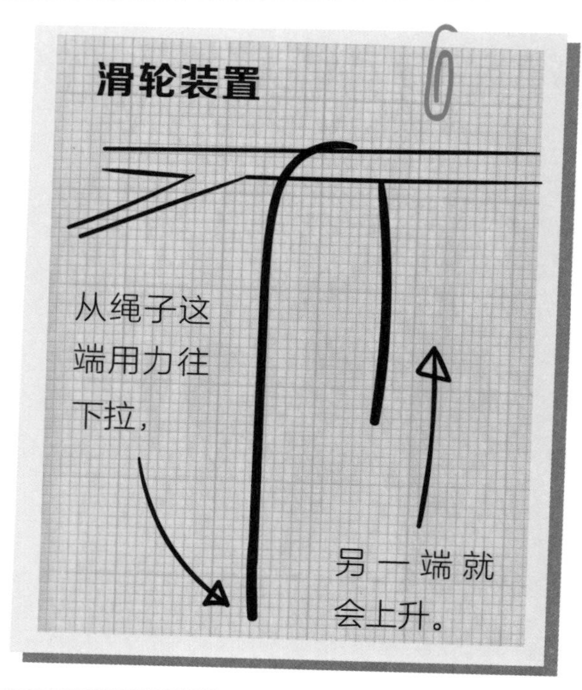

“轮到我了！”刺猬说。因为它很轻，所以很快就被拉到树上了。

“万岁！”动物们欢呼雀跃。它们终于可以坐在温暖的树梢上欣赏雨景喽。

齿轮大赛！

游戏方法

两人或两人以上的游戏

1. 每个玩家都把棋子放在**起点**上。
2. 轮流掷骰子，按照掷出的数字查询颜色表里相对应的颜色。
3. 在第一个齿轮里找到颜色，将自己的棋子放上去。
4. 如果对应的是实心图形，可移动到另一齿轮中与之配对的图形。
5. 如果对应的是空心图形，那就不用移动。
6. 如果连续两次掷骰子都是相同的颜色，不能移动棋子。
7. 第一个抵达**终点**齿轮的人获胜。

颜色表

你需要

一颗骰子

代表每个玩家的棋子

终点

工具发明的启蒙老师

你梦想过要发明什么东西吗？如飞翔的车子、隐形的斗篷……很多发明家是从观察大自然的运行、各种动物的行为中获得灵感的！

飞机

飞机的造型和蝙蝠、鸟类相似。

声纳与雷达

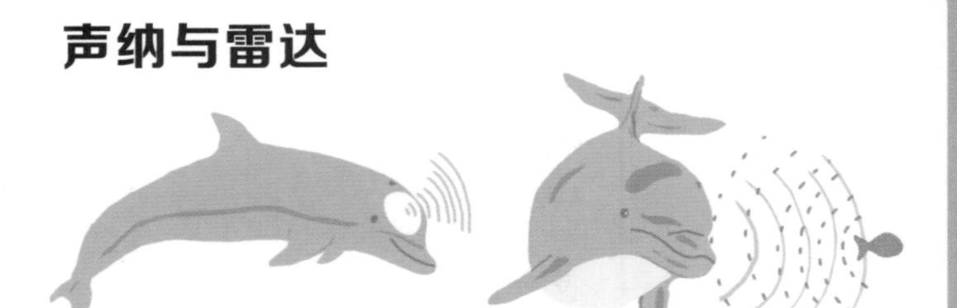

海豚发出声波来搜寻鱼群。人类根据这一原理，发明了“雷达”，来测量物体距离的远近、速度的快慢。

魔术贴

有位发明家注意到一种有钩刺的种子，能挂在小狗的毛上，所以发明了魔术贴。

放大图

其中一面有很多小弯钩，另一面有很多小圆圈，能互相粘住，又能轻松解开。

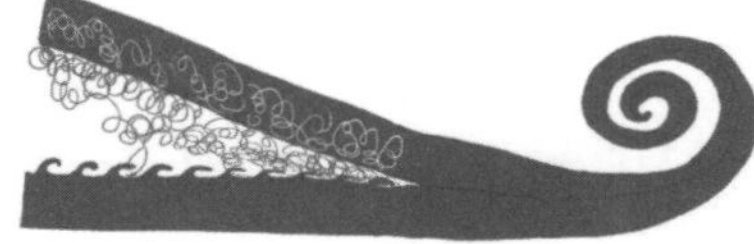

纸箱

蜂巢由什么形状组成？这个形状总共有几个边？蜂巢虽然很轻，却非常坚固！

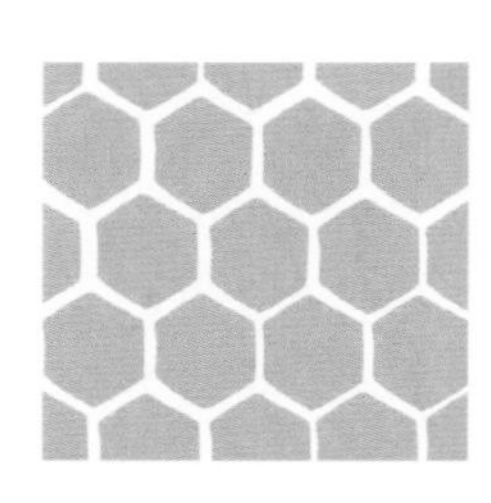

撕开瓦楞纸箱，发现厚纸板里密密麻麻的小格子，就像蜂巢一样。

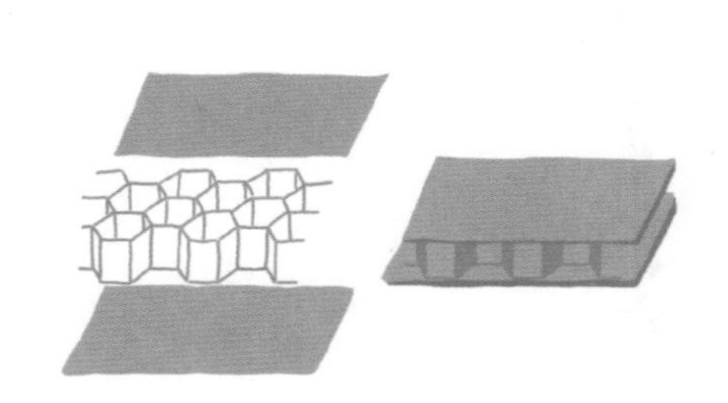

需要大人帮忙！

制作棉花糖发射器

准备好发射迷你棉花糖了吗？
先将木勺往后轻压，瞄准目标，再轻轻松开木勺，棉花糖或葡萄干就会被弹射出去，命中目标！

你需要

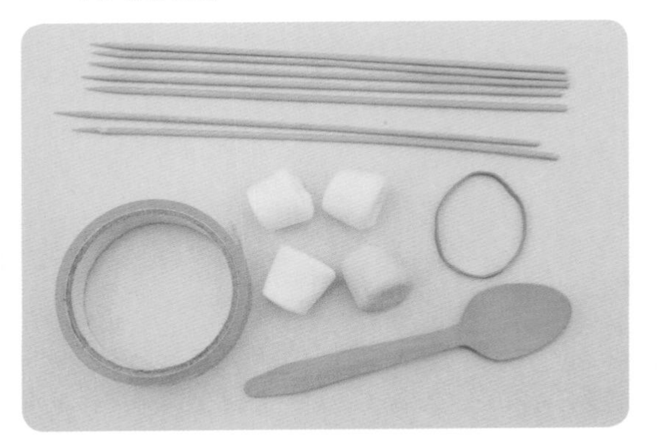

发射器

4 颗大棉花糖
7 支竹签
1 条橡皮筋
1 把木勺或塑料勺
胶带

投掷用的弹药

迷你棉花糖、麦片或葡萄干

怎么做

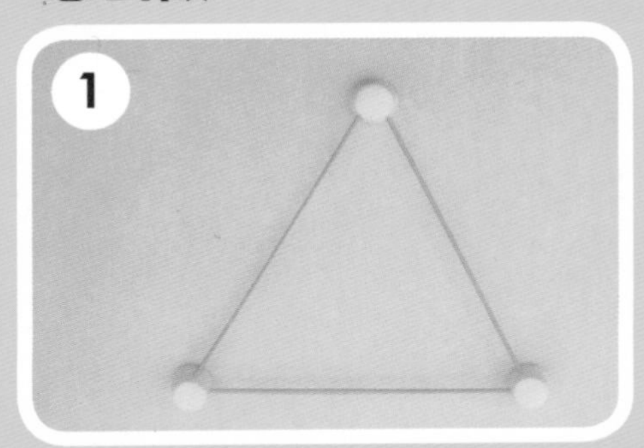

用三支竹签和三颗棉花糖组成一个三角形。

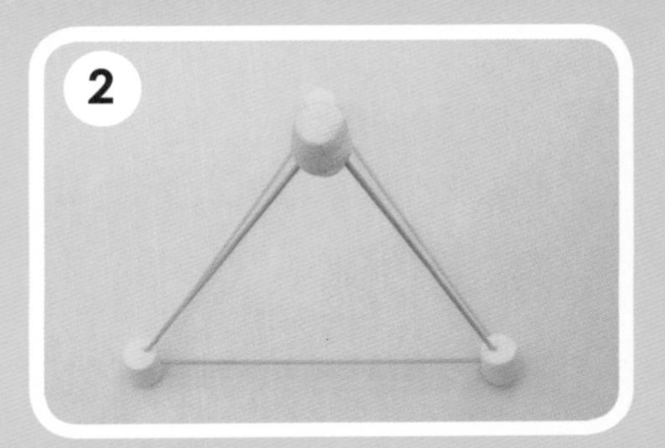

再加上三支竹签和一颗棉花糖架成金字塔形。

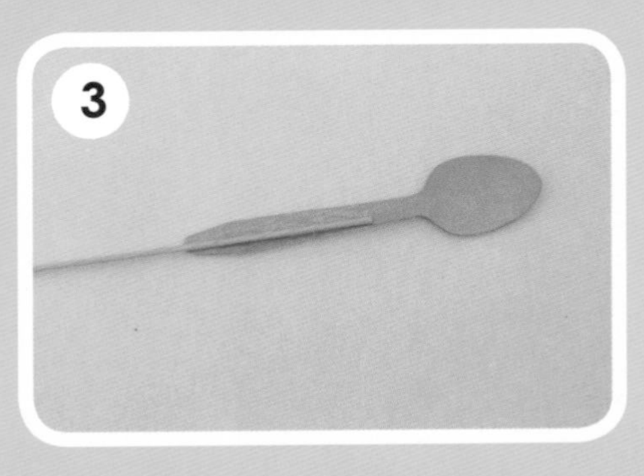

在木勺的勺把上，绑一支竹签。

用橡皮筋套住顶端的棉花糖，木勺穿过橡皮筋，勺把的竹签固定在底部棉花糖上。

预备！

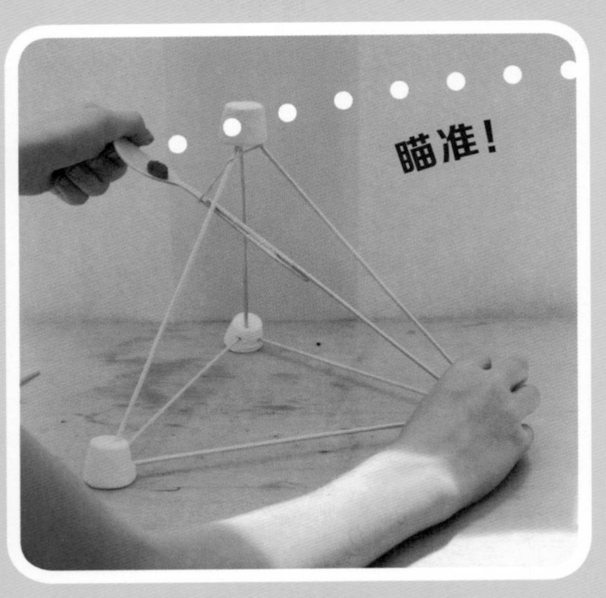

发射！

轻轻将木勺往下压，瞄准好目标就可以放手了。

自然的力量

太阳、风和水的超能量！

特别的设备能将大自然中的能量转化为生活能源。
来看看这些设备是如何利用太阳、风和水的？

风车在转动时将风能转化为动能，就可以将谷物磨成粉了。

太阳能板吸收阳光中的热能和光能，再将它们转换为电能。

风力涡轮机在风中转动时，会将风能转换为电能。

水车利用水流的动力将谷物磨成粉状。

来给植物浇水！这个风力涡轮机将风能转化为动能，将水泵入水管中。

哇哦，冲浪真有趣！并且，潮汐发电机还能把海浪的动能转变为电能。

制作水车

水车是一种设计简单的机器，它能利用水流的动能。让我们来自制一个小水车，观察一下它是如何运作的。

需要大人帮忙！

你需要 2根可弯折吸管
1个软木塞
剪刀
胶带
2支牙签
3张纸片（每张约4厘米X3厘米）

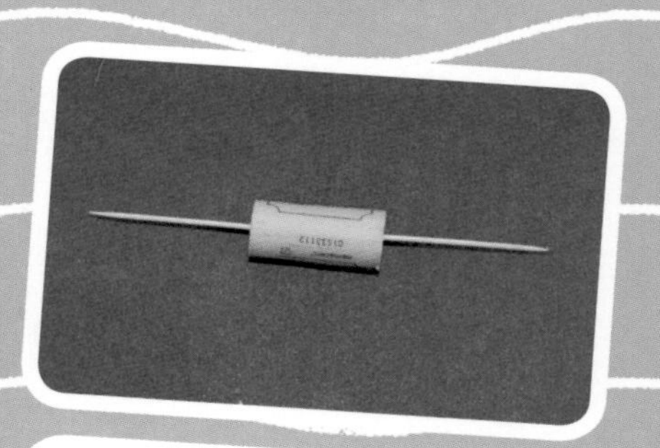

1 将两支牙签分别插入软木塞两端。

2 请大人在软木塞上刻出三条沟槽。

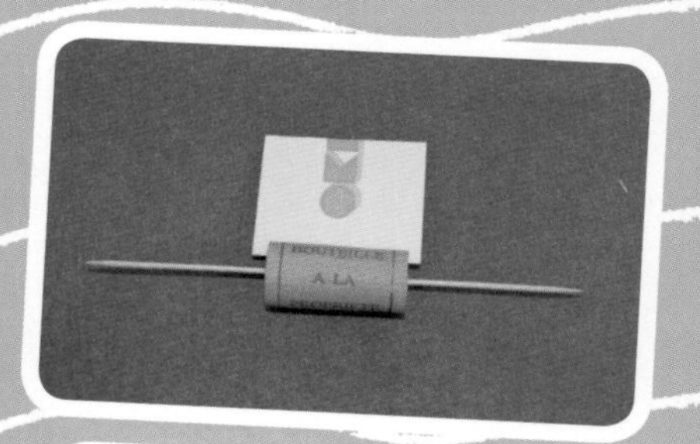

3 将一张卡片插到沟槽中。

4 将其他卡片也插到沟槽中。水车完成了，如图。

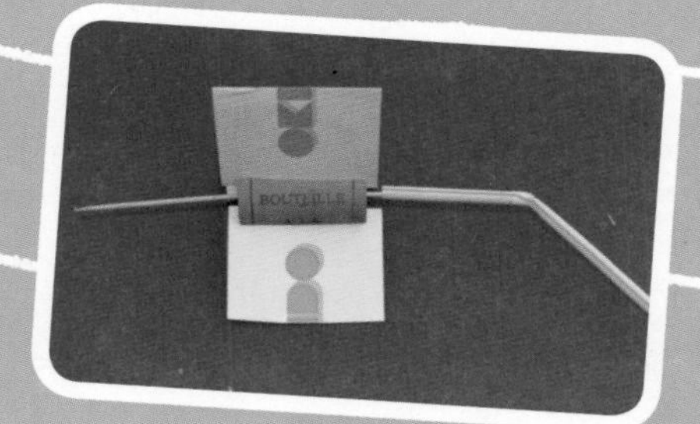

5 牙签两端各套上一根吸管。

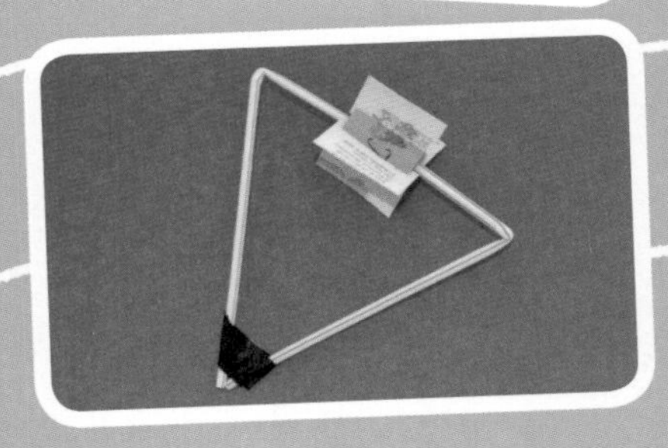

6 再将两根吸管用胶带粘贴起来，形成一个三角形。

7 打开水龙头，将做好的水车叶片放在水流下方，观察水流是如何让叶片旋转的。

机器人小岛

1 在很远的地方，有一座很小的岛屿……

2 岛上住着两种机器人，

巴巴族机器人和波波族机器人。

3 巴巴族机器人住在巴巴族村。

巴巴族机器人

4 波波族机器人住在波波族村。

波波族机器人

5 波波族机器人从地底深处抽取石油，获得能量。

6 巴巴族机器人从阳光、风和海洋中获取能量。这些能量用之不尽。

7 一天，在波波族村……

哦，不妙了，不妙了！

快点啊！我快没有能量了！

8 石油没了！

9 波波族机器人的动作越来越缓慢，然后一动不动了！

10 最后，只剩一个小波波族机器人还能行动……

11 小波波马上赶到巴巴族村……

12 巴巴族很愿意去帮忙！

13 巴巴族使用自己的工具帮波波族恢复了生命，为波波族安装了太阳能板、风车和潮汐发电机。

14 为了答谢巴巴族，波波族举办了欢乐派对。从那天起，波波族再也不用担心能量会耗尽了！

电力供应

电力使用不当是非常危险的，绝对不可以玩插座和电器插头！

电是怎么到你家的呢？

动动手指，跟着图中的电流一起去旅行吧！

电力是由**发电厂**制造出来的。它先流经**变电站**，那里就可以提高电压。这意味着可以提供更多的能量。接着电流通过**电缆塔**高高架起的**高压线**输送到千家万户。

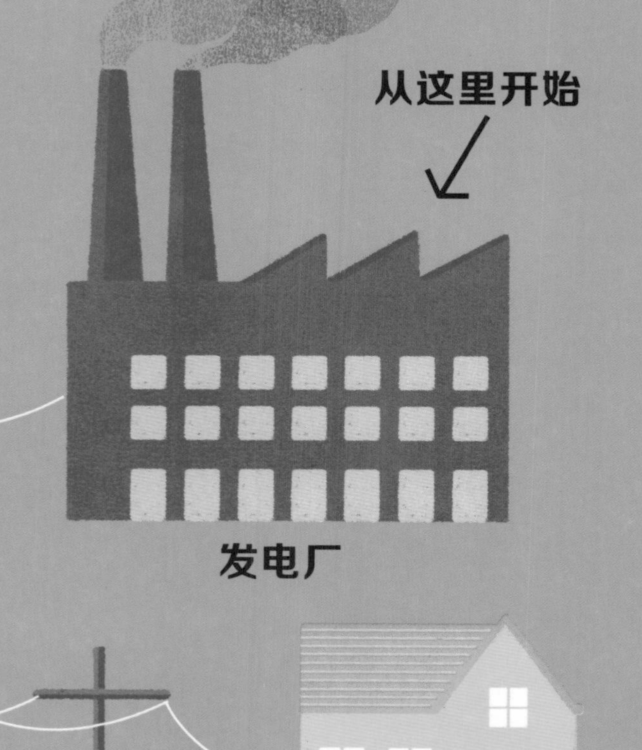

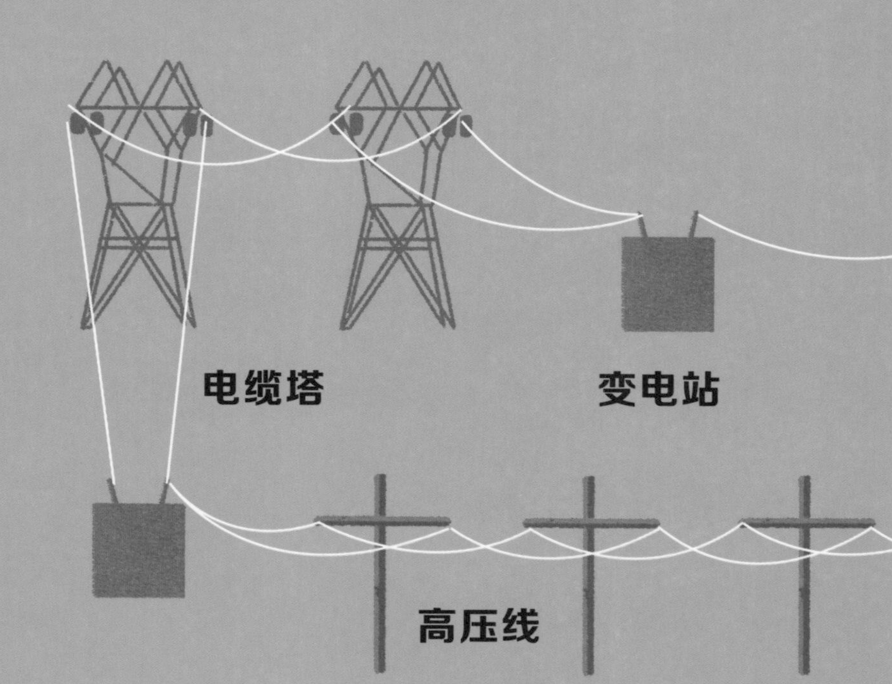

电的实验

开

开灯，接通电路，电流顺利通过回路，电灯亮。

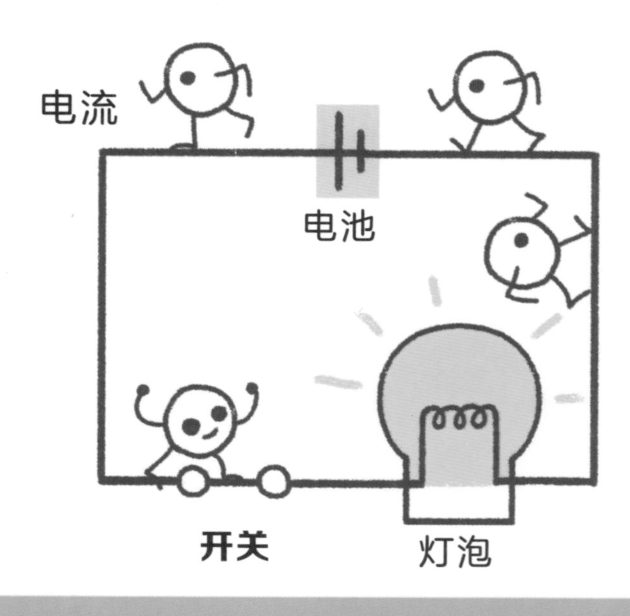

关

关灯，切断电路，电流不能通过回路，电灯灭。

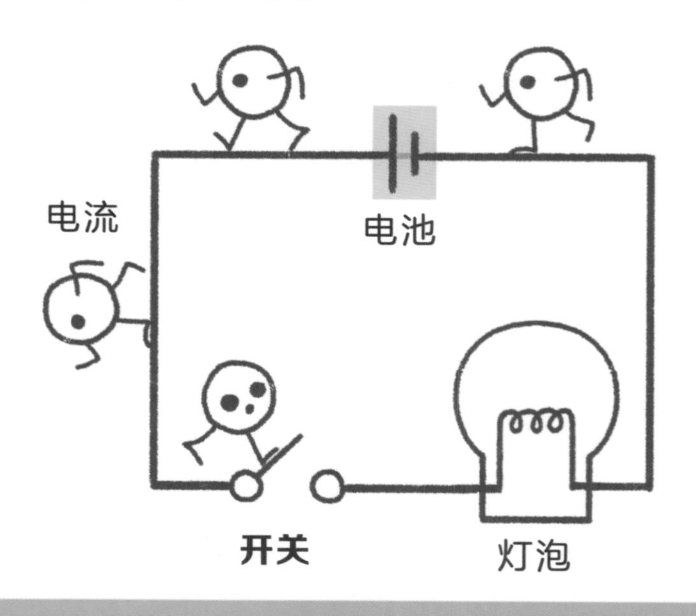

跟着电线走

电力为家中的电器提供运转能量。跟着电线找找看，哪几种电器的插头还没有插入插座呢？

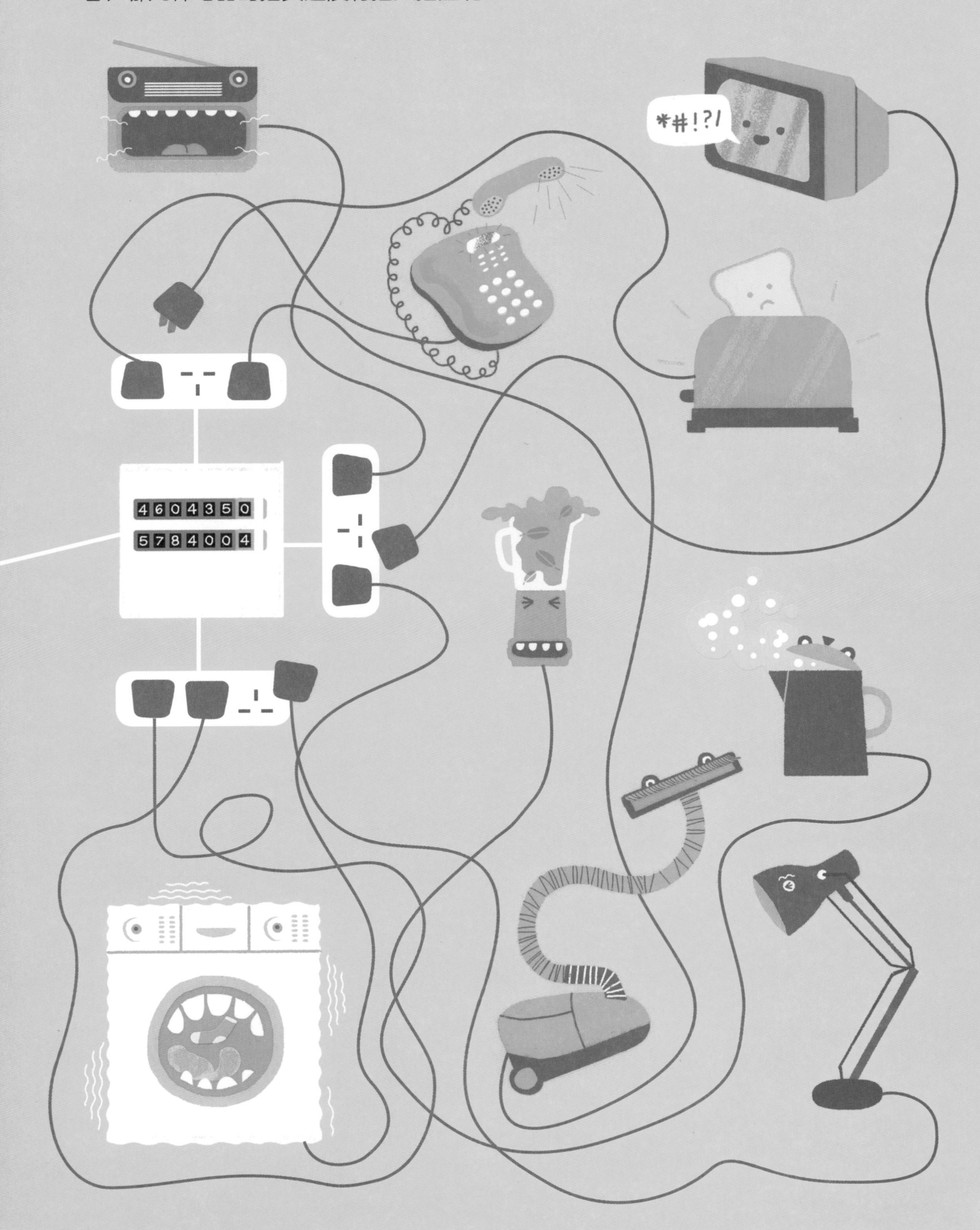

什么是光？

光从哪里来的呢？

大多数光来自太阳，阳光会穿越一亿多千米到达地球，我们称之为自然光。当你打开手电筒，通过电池电力所发出的光，称之为人造光。

闪电

当闪电出现时，就像一道疾速的光划破天际。

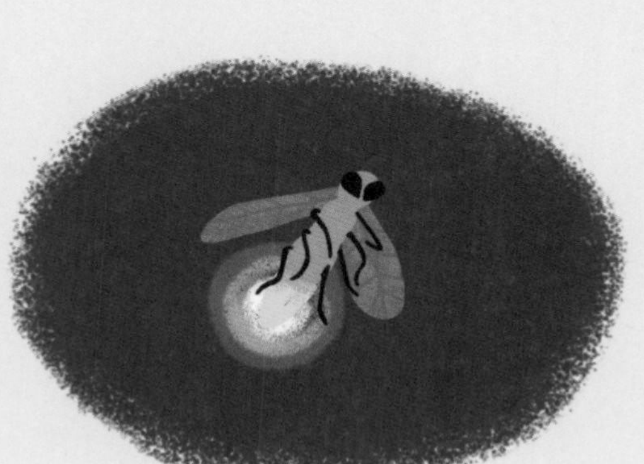

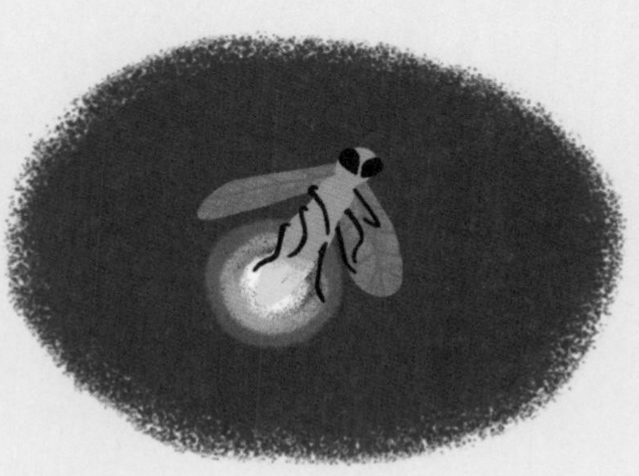

萤火虫

萤火虫利用体内的化学物质使身体发光，并借着闪光寻找伴侣。

太阳

太阳是最接近地球的恒星。

星星

星星是一颗拥有可燃气体的大“球”。

火山

火山爆发时，喷出炙热的岩浆，发出亮光。

想一想，这是哪一种光？

右方图示中，哪些是自然光？哪些是人造光？

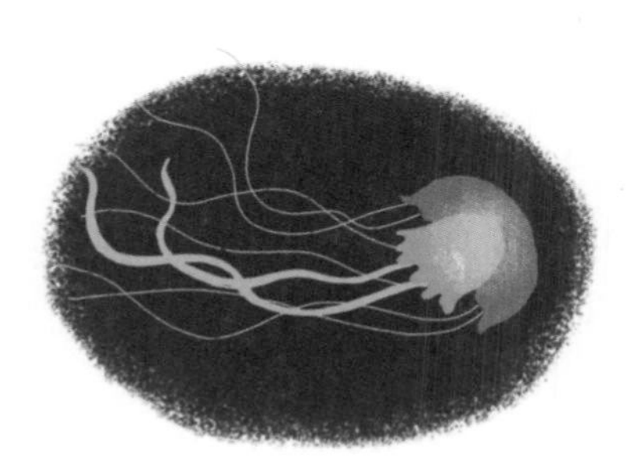

人造光

手电筒的光

手电筒用电池供电发光。

火光

我们可以用木材生火。在没人点火的情况下，也可以自然起火。

车头灯光

车头灯通过电力发光。

烟花

烟花中的炸药粉末，经化学反应爆炸燃烧，在天空中绽放出五彩缤纷的火花。

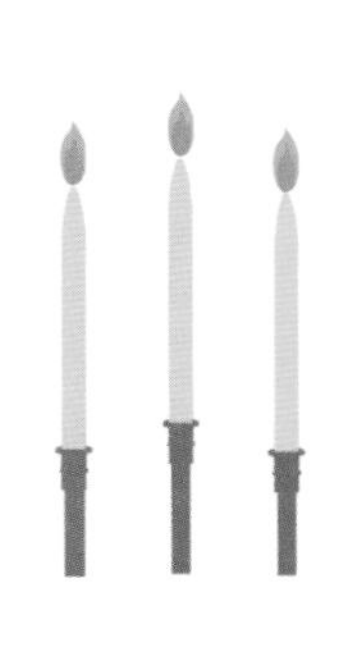

光影游戏

你的影子是什么形状的呢？是不是跟你的身形一模一样？当光线无法穿透物品时，就会产生影子。

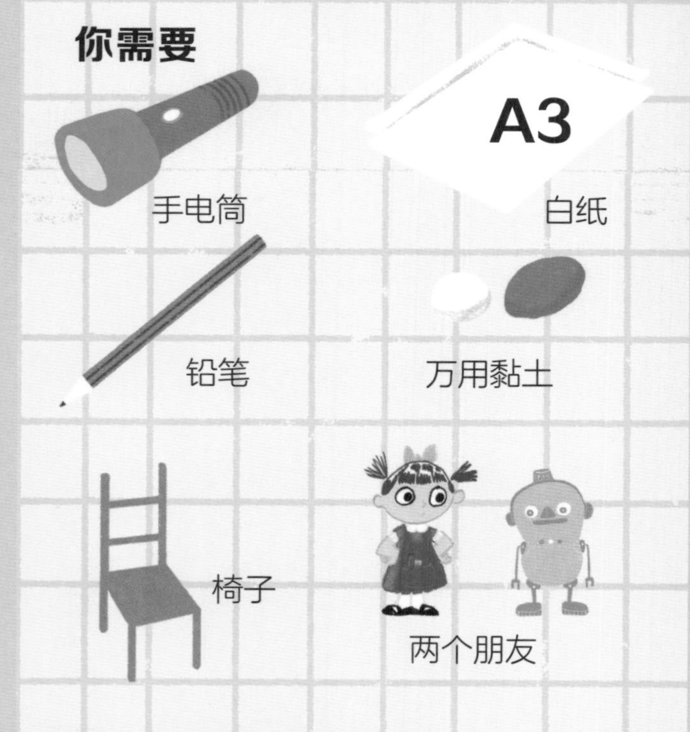

画我们的影子

你知道什么是剪影吗？赶快找两个朋友，一起描绘出彼此的剪影吧！

1 用万用黏土将白纸粘贴在墙上。

2 侧身坐在墙壁前方。

3 请朋友拿手电筒对着你，在白纸上投射出影子。

4 请另一位朋友沿着你的影子轮廓画线条，然后换你为他画。

画玩具的影子

现在，你可以利用手电筒为玩具们画出各式各样的影子！

1 在桌面铺上白纸，并将玩具放到纸上。

2 请朋友拿手电筒，让玩具投射出影子。

3 用铅笔沿着影子轮廓画出线条。

4 轮流拿手电筒，画出玩具的剪影。

一起来观察：影子哪里不同？

玩具平放在纸上，光源从上方照射，影子会是什么模样的？

玩具立在纸上，光源从上方照射，影子会是什么模样的？

将白纸与玩具同时直立，影子会是什么模样的？

将玩具摆放在不平整的表面前方，影子会是什么模样的？

什么是声音？

大声说："你好！"

听到了吗？你刚才发出的就是"声音"。你喜欢听音乐吗？音乐也是声音！声音不但可以是轻柔的，也可以是吵闹的。

声音是怎么产生的？

声音是由物体在空气中振动或颤动而产生的。物体振动会形成声波，通过空气传播进入我们的耳朵。

哨子发出尖锐的声音。

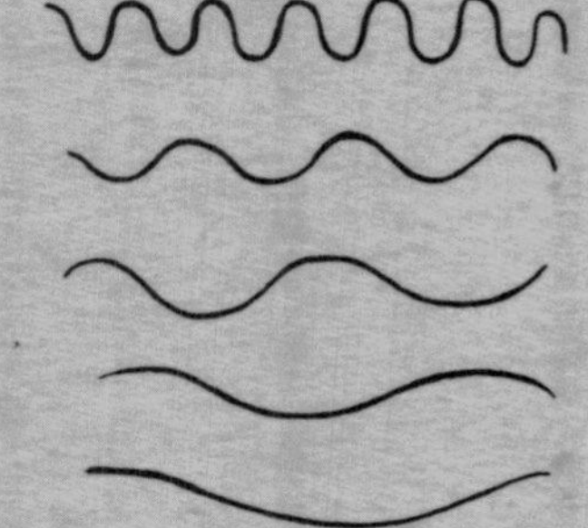

鼓发出低沉的声音。

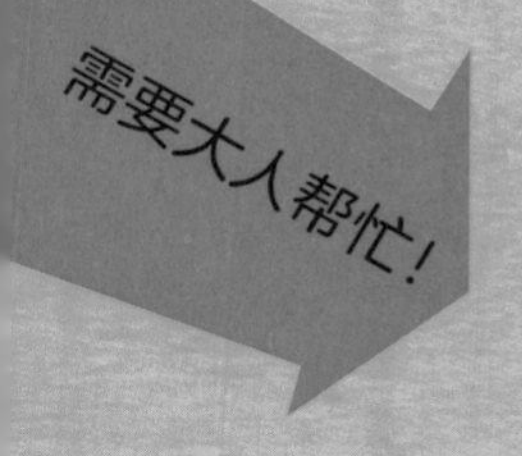

玻璃交响乐

你需要 6个玻璃杯
1罐水
1根棒子

怎么做

1. 如图，将水倒入杯内。第一杯不加水，从第二杯开始逐渐增加水量，直到第六杯，加满整杯。
2. 轻轻地敲杯子，听听，每杯发出的声音有什么不同？声音的高低与杯内水量的多少又有什么关系呢？
3. 随兴多敲几下，试着编出自己的交响乐吧！

制作纸杯电话筒

你需要

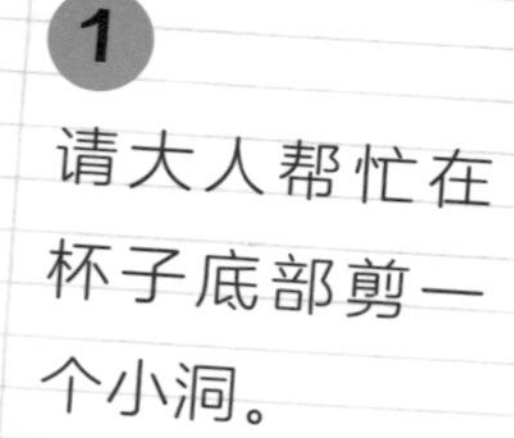

2个纸杯或酸奶杯

细绳

剪刀

需要大人帮忙！

怎么做

1. 请大人帮忙在杯子底部剪一个小洞。
2. 将细绳穿进杯内，在绳头打一个小结固定，再将细绳另一端穿进另一个杯内，再打一个小结。
3. 请朋友拿起一个杯子靠近耳朵，而你对着另一个杯子说话，会发生什么事情？然后交换，变成他说你听。

制作吸管口哨

你需要

1杯水

1根吸管

1把剪刀

怎么做

1. 在吸管中段剪一个小缺口。不能剪断吸管哦！
2. 如图，将吸管插进水杯里，轻轻吹气。
3. 上下移动吸管，持续吹气。听听声音有什么变化？

制作吸管笛子

你需要

1根吸管

1把剪刀

怎么做

1. 将吸管的一端压平。
2. 如图，在压平那端沿两条交叉对角线剪出一个尖头。
3. 从尖端吹气，就会发出尖锐的声音。

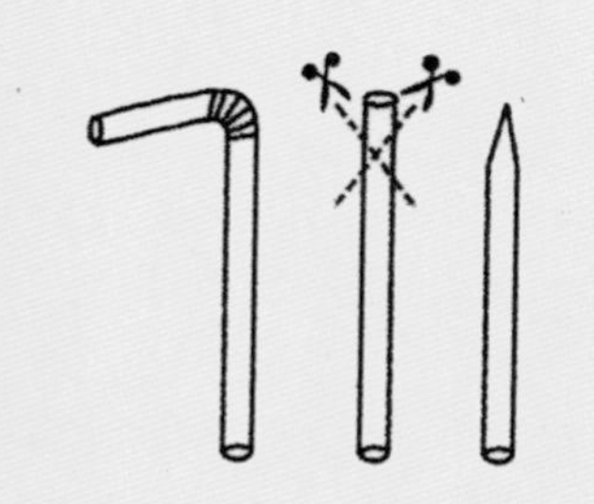

乐器家族

不同乐器隶属不同的种类，每种乐器都会发出各自独特的音色。

弦乐家族 通过弦线振动发出声音，砰！

拨弦乐器

曼陀林　吉他　班卓琴　竖琴

弓弦乐器

小提琴　中提琴　大提琴　低音提琴

乐器找一找

找一找，森林里藏了哪些乐器？这些乐器分属哪些家族？

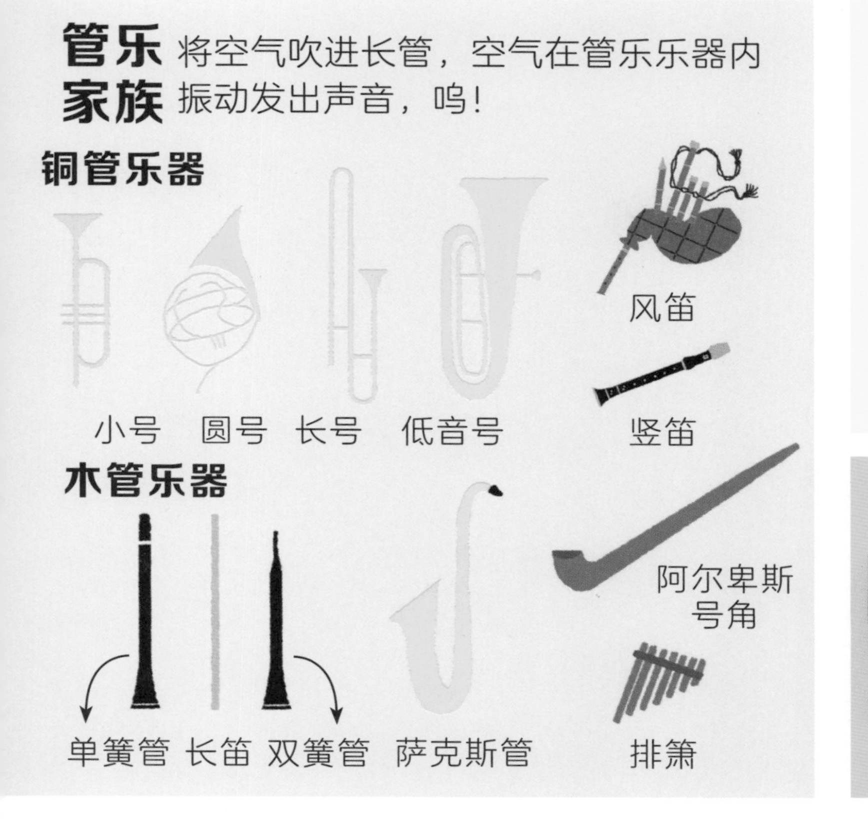

管乐家族

将空气吹进长管，空气在管乐乐器内振动发出声音，呜！

铜管乐器

木管乐器

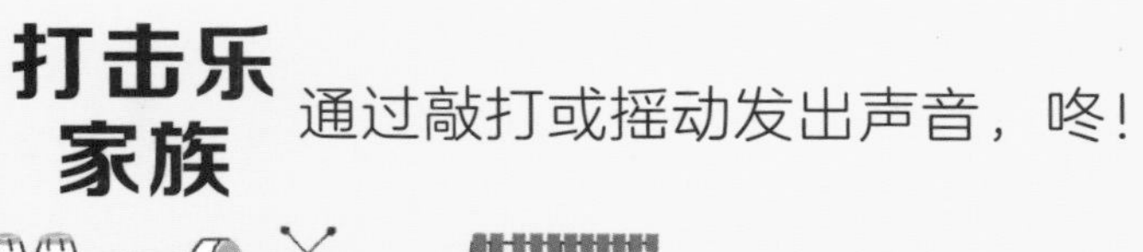

打击乐家族

通过敲打或摇动发出声音，咚！

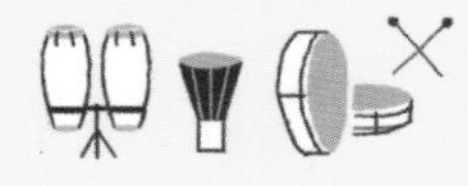

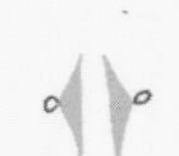

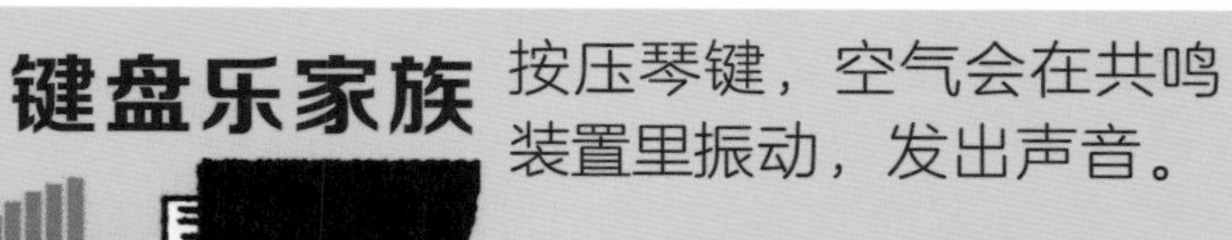

键盘乐家族

按压琴键，空气会在共鸣装置里振动，发出声音。

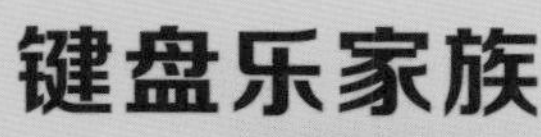

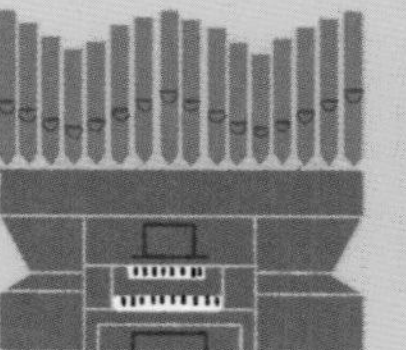

如何测量？

多高？多矮？

观察图片，什么最高？是机器人、人类、公交车、长颈鹿、房屋、树木，还是摩天大楼呢？

摩天大楼的高度超过30米。

需要几棵树，才能和摩天大楼一样高？

需要几栋房屋呢？

需要几只长颈鹿呢？

需要几辆公交车呢？

需要几个人呢？

需要几个机器人呢？

需要几个足球呢？

而你有多高呢？快用尺子量量看。

也可以试试另一个方法：请家人把家中的书一本本往上叠，叠到与你一样高。记得从脚趾旁开始，一直叠到头顶旁边哦！数数看，需要几本书才能和你的身高相等？

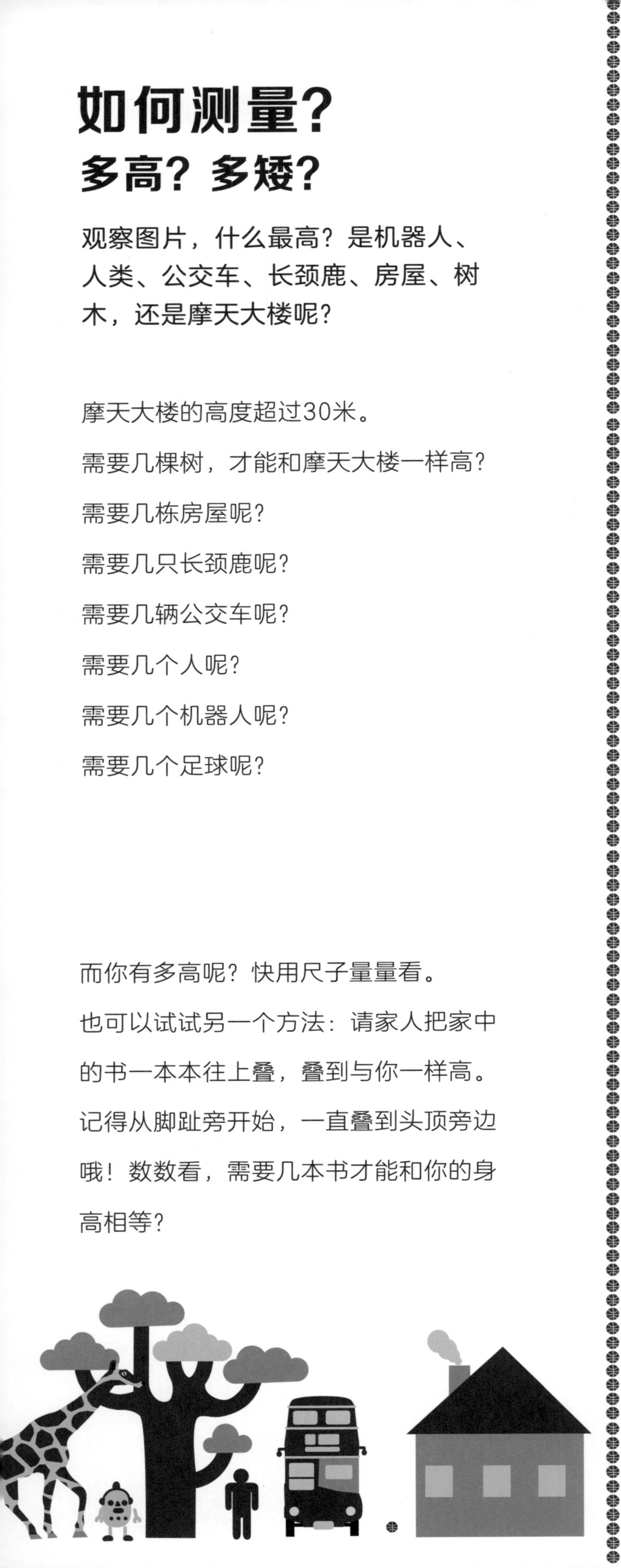

30米
高度表
25米
20米
15米
10米
5米

多轻？多重？

天平是用来测量物品轻重的。当天平两端平衡时，
代表两个托盘上的物品轻重相等。

轻重比一比

可可和小艾的轻重相等。

红色轿车比三个小伙伴加起来还重。

两个小伙伴比一个小伙伴重。

一个小伙伴比一辆蓝色摩托车轻。

配合右图，想想下方问题的答案是什么？

什么比红色轿车轻？

什么比红色轿车重？

制作平衡吊饰

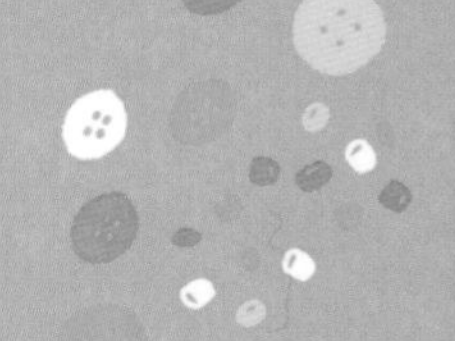

你需要

绳子

剪刀

纸胶带

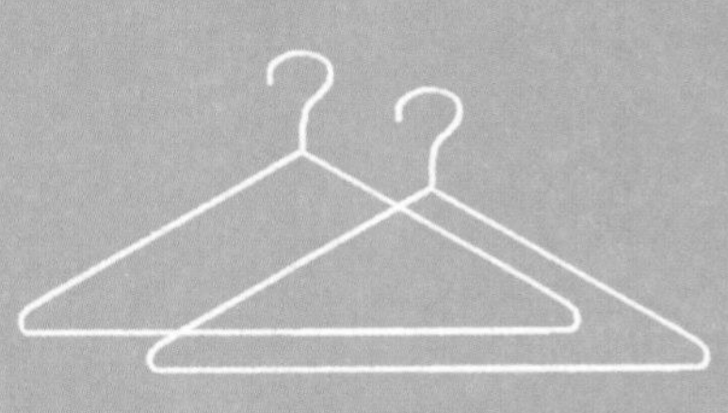
2个衣架

彩色卡纸

打孔器

纽扣、串珠

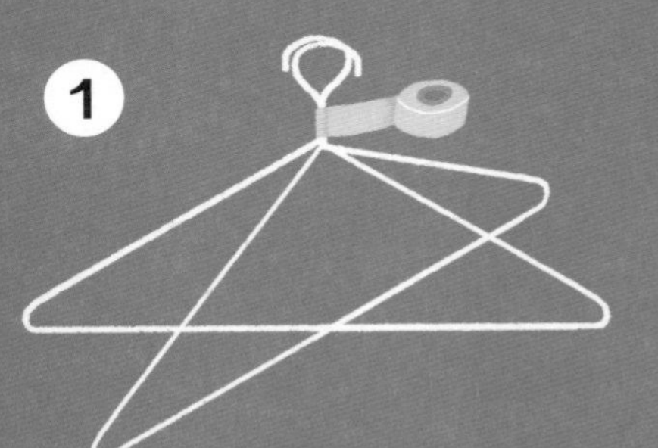
1 如图，请大人帮忙将两个衣架交叉，用胶带粘牢。

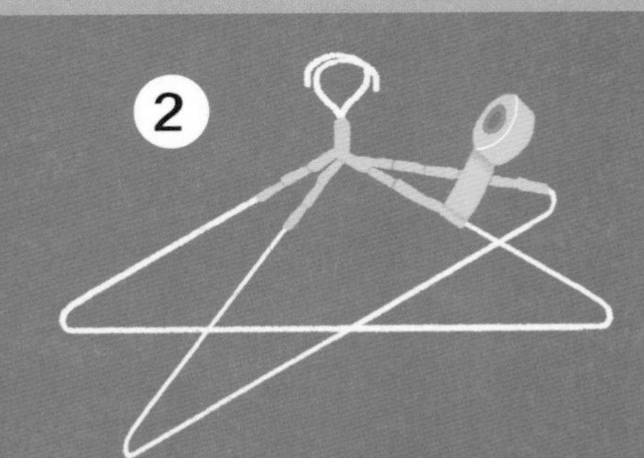
2 接着用胶带将两个衣架全部包裹住。

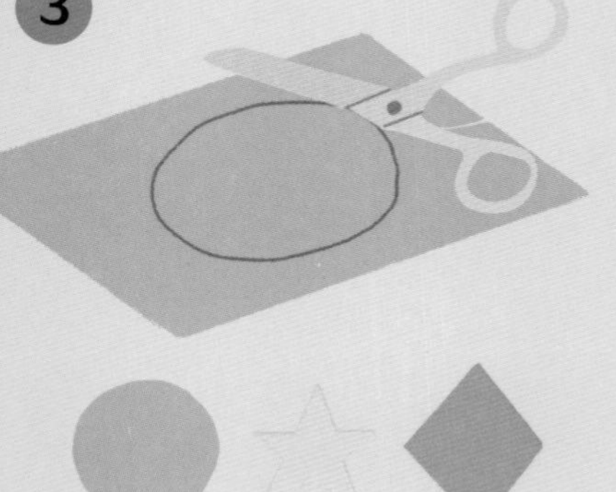
3 拿出彩色卡纸，剪出各种形状。

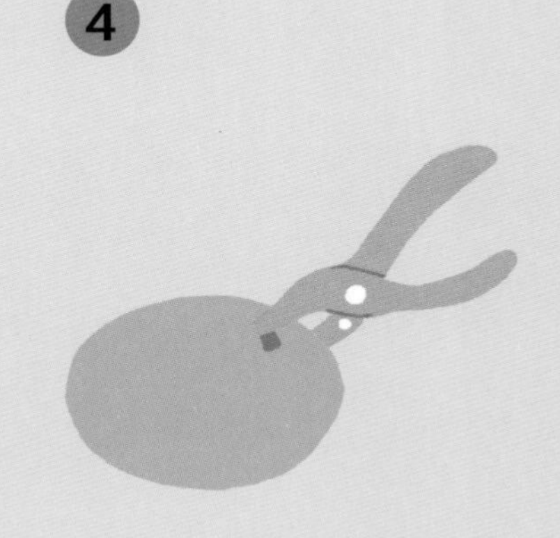
4 用打孔器在各种形状卡纸上各打一个洞。若力气不够，可以请大人帮忙。

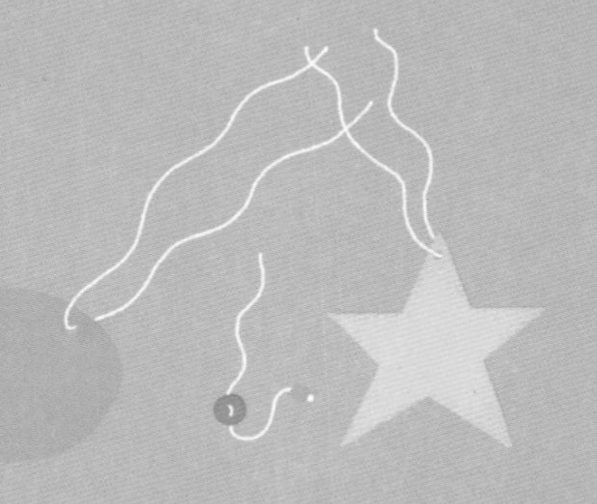
5 将绳子穿洞。还要穿一些纽扣和串珠哦!

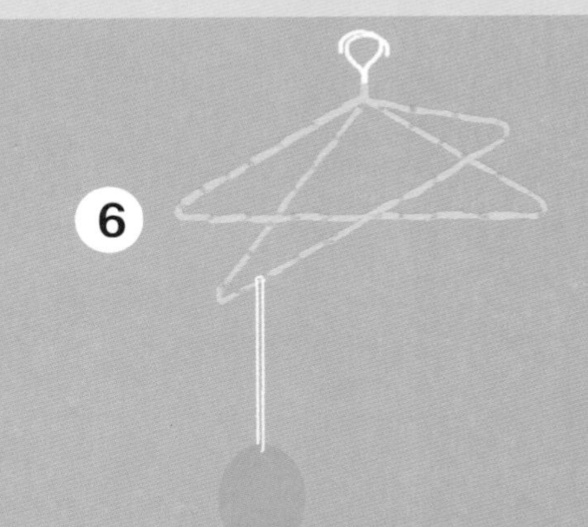
6 将穿绳的不同形状卡纸悬绑在衣架上。注意有些比较重。

7 将卡纸、纽扣和串珠都绑好，注意保持衣架平衡。

各种交通工具

忙碌的城市里有着各种各样的交通工具，借助它们，人们四处奔走！

嘟嘟！**轿车**可以带着一家人四处游玩，但有时候会遇到堵车，且必须消耗能源才能行驶。

电车行驶在路面的轨道上。

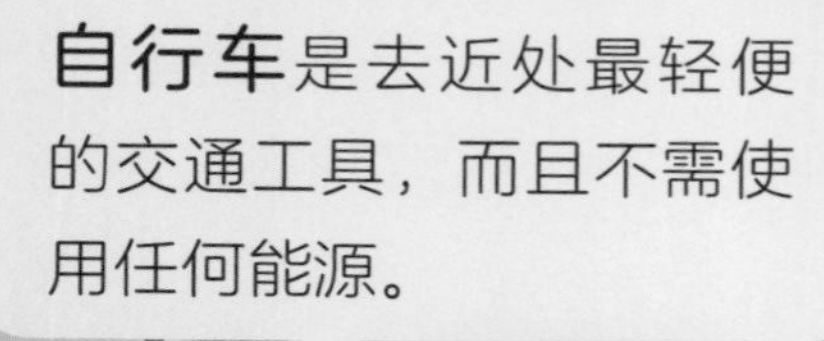

自行车是去近处最轻便的交通工具，而且不需使用任何能源。

走路不会遇到堵车，只消耗人体自身的能量。

呜呜！**驳船**轧轧作响，运载着货物，在河流上缓慢地行驶着。

交通工具找一找

请帮图中人物找出可到达目的地的正确交通工具。想一想，还有其他交通工具可供选择吗？

莫莉

我要到附近的公园玩耍。

爸爸

我想去探望住在牙买加的奶奶。

史密斯一家

我们带着好多行李，准备去海边度假。

琼斯一家

我们要去邻镇拜访阿姨，她就在火车站附近。

乔许和艾玛

每天早上快速梳洗后，我们去城镇的另一头上班。

客货两用车空间大，可载着货物或人四处跑，需要消耗能源才能行驶，易堵车。
飞机飞行数千里，穿梭全球，能迅速地把旅客送达目的地，但要大量消耗能源才能飞行。
火车在轨道上行驶，穿越城市和乡村，能一次运送许多乘客前往目的地。
轮船长时间在海洋上航行。
出租车很便利，能直接送你到目的地，但需要消耗能源才能行驶，且容易堵车。
上车了！公交车在市区内一站又一站地运送乘客。
OKIDO
ART & SCIENCE
车门开启！地铁大部分时间都在地下行驶，载着人们通行城内外，而且不会堵车哦！
莉莉和妈妈
我们要去市区购物喽！
波特太太
要将这些装满瓷砖的箱子送到上游邻镇。

汽车的运行原理

以燃油汽车为例，开车前先将汽车加满燃油，然后转动钥匙点火发动，再踩下油门。出发了！嘟嘟！

发现汽车的秘密

汽车的每个零部件担负不同的职责。

手刹车
拉起它，汽车就会停止，不再移动。

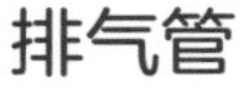

排气管
将汽车制造的废气排出。

油门 加快汽车的行驶速度。

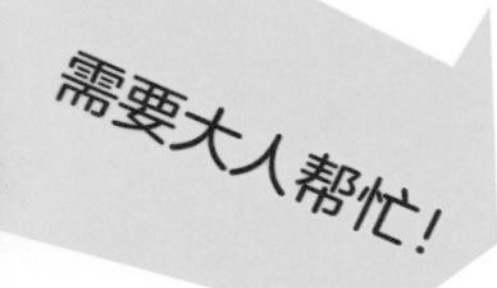

制作模型车

用软木塞或瓶盖当车轮，制作一辆模型车，和朋友们在地板上一决高下！

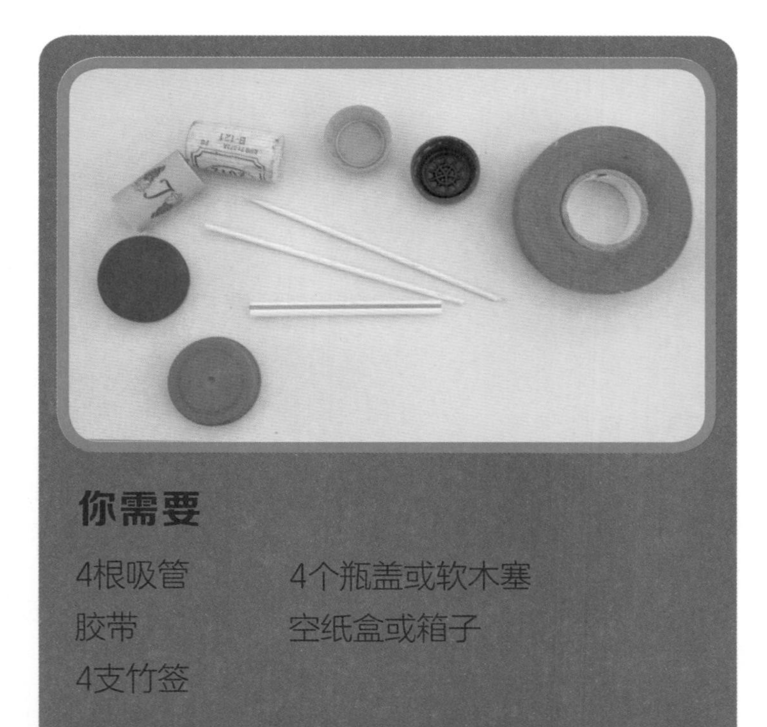

你需要

4根吸管
胶带
4支竹签
4个瓶盖或软木塞
空纸盒或箱子

1

将竹签穿过吸管；小心竹签的尖刺哦！

2

请大人帮忙用钉子在四个瓶盖上各打一个洞。

方向盘
可控制行进的方向。

电池
用来发动发动机和给车灯供电。

发动机
将燃料能量转为动能，使汽车运转并加速。

水箱
能降低发动机温度，避免过热。

车前灯
帮助驾驶员在暗处看得更清楚。

脚刹车 能降低车速。

3

请大人帮忙把瓶盖套入步骤1做好的吸管两端，这样就完成一组车轮了。再做一组吧！

4

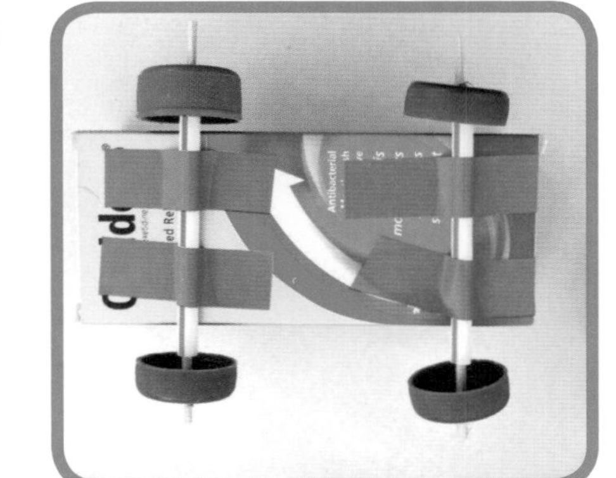

将两组车轮平放在纸盒上，用胶带粘贴固定。翻过来，车轮朝下，就能自由开车了！

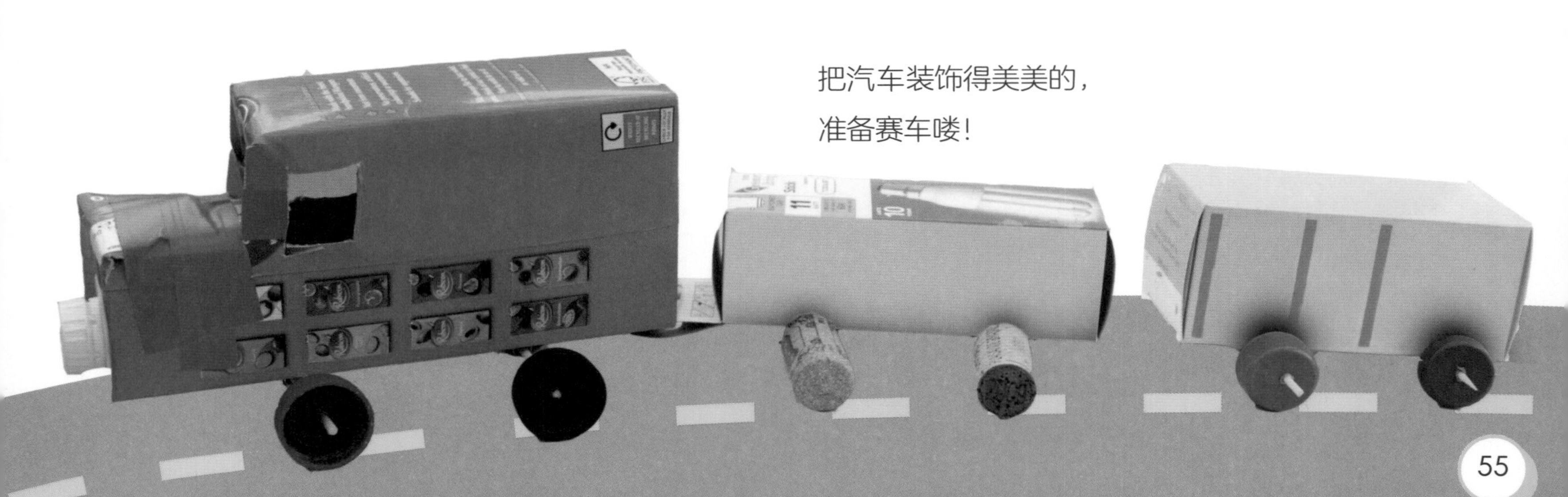

把汽车装饰得美美的，准备赛车喽！

各种各样的工作

三百六十行，行行出状元

大人们从事着不同的工作。你长大以后想做什么工作呢？

游戏方法

两人或两人以上的游戏

你需要

骰子和棋子

1. 将棋子放至**起点**。
2. 玩家轮流掷骰子，按照掷出的数字依序前进。
3. 当棋子停在某个人物上时，请将棋子移到相关工作的图示上。
4. 当棋子停在某种工作的图示上时，请将棋子移到相关人物上。
5. 第一位抵达**终点**的人获胜。

起点

农民

宇航员

渔民

教师

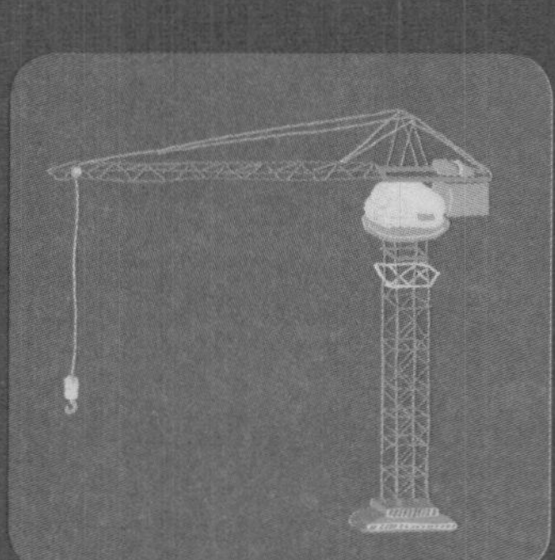

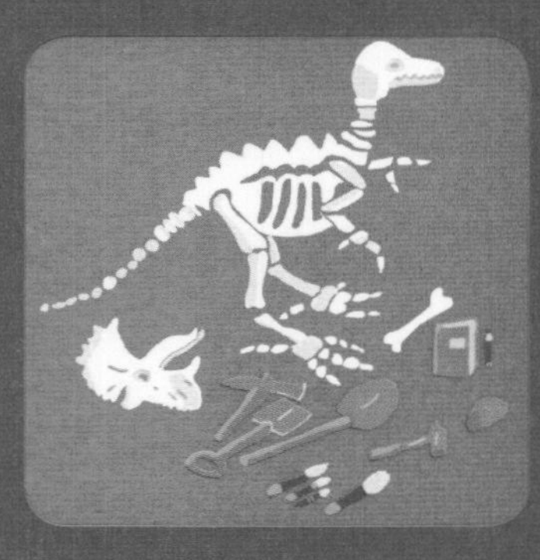

飞行员

足球运动员

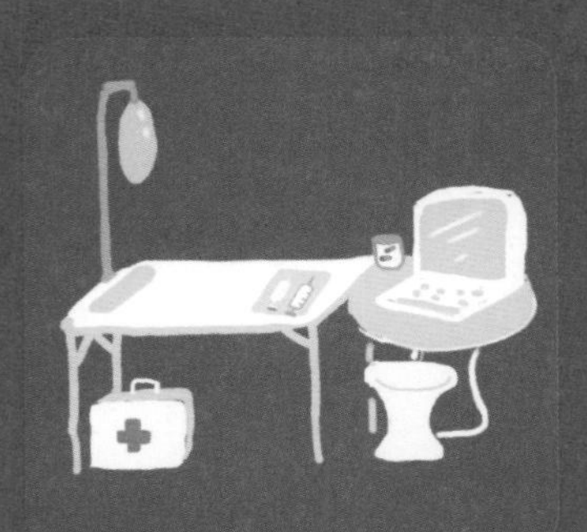

音乐家

科学家

画家

医生

建筑工人

厨师

考古学家

终点

制作电视节目

回忆一下在儿童频道上播放的节目。你喜欢像科学家一样解说万物运作的过程呢，还是像主播一样播报世界各地的新闻呢？

表演者在舞台上、镜头前表演。

编剧在幕后工作，编写剧本供表演者参考。

摄影师捕捉现场所有活动，将它们录制下来。

音效师现场收音，之后制作音效。表演者也会戴上麦克风协助收音。

灯光师确保现场灯光照射效果良好，亮度充足。

表演者

摄影师

演播室内录制好的画面，通过**发射站**传输出去……

再通过**电视电缆线**、**天线**或**卫星碟形天线**传到家中的电视机。

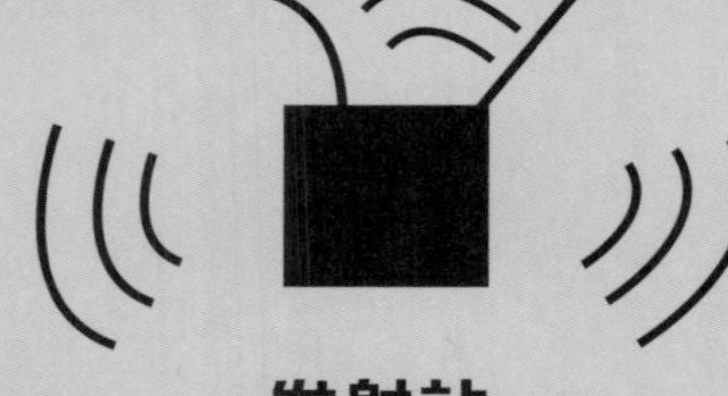

发射站

电视电缆线

天线

灯光师

音效师

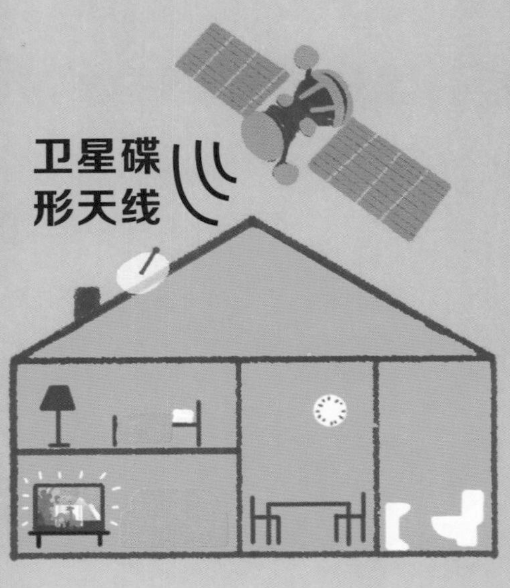

电视大明星

需要大人帮忙！

你需要

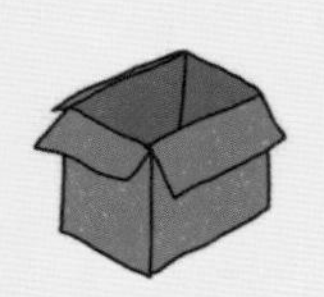
纸箱

胶带

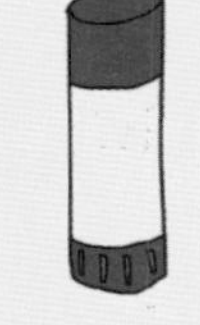
胶水

剪刀

瓶盖

钢笔、铅笔

各种纸张

请大人在纸箱其中一侧剪出一个方形大洞。

使用以上材料制作电视操作钮、麦克风、遥控器、相关布景和道具。

你想制作什么类型的节目呢？

探索自然频道

电视购物

天气预报

新闻节目

和朋友一起玩“看电视”游戏。看看转换频道时会发生什么事呢？

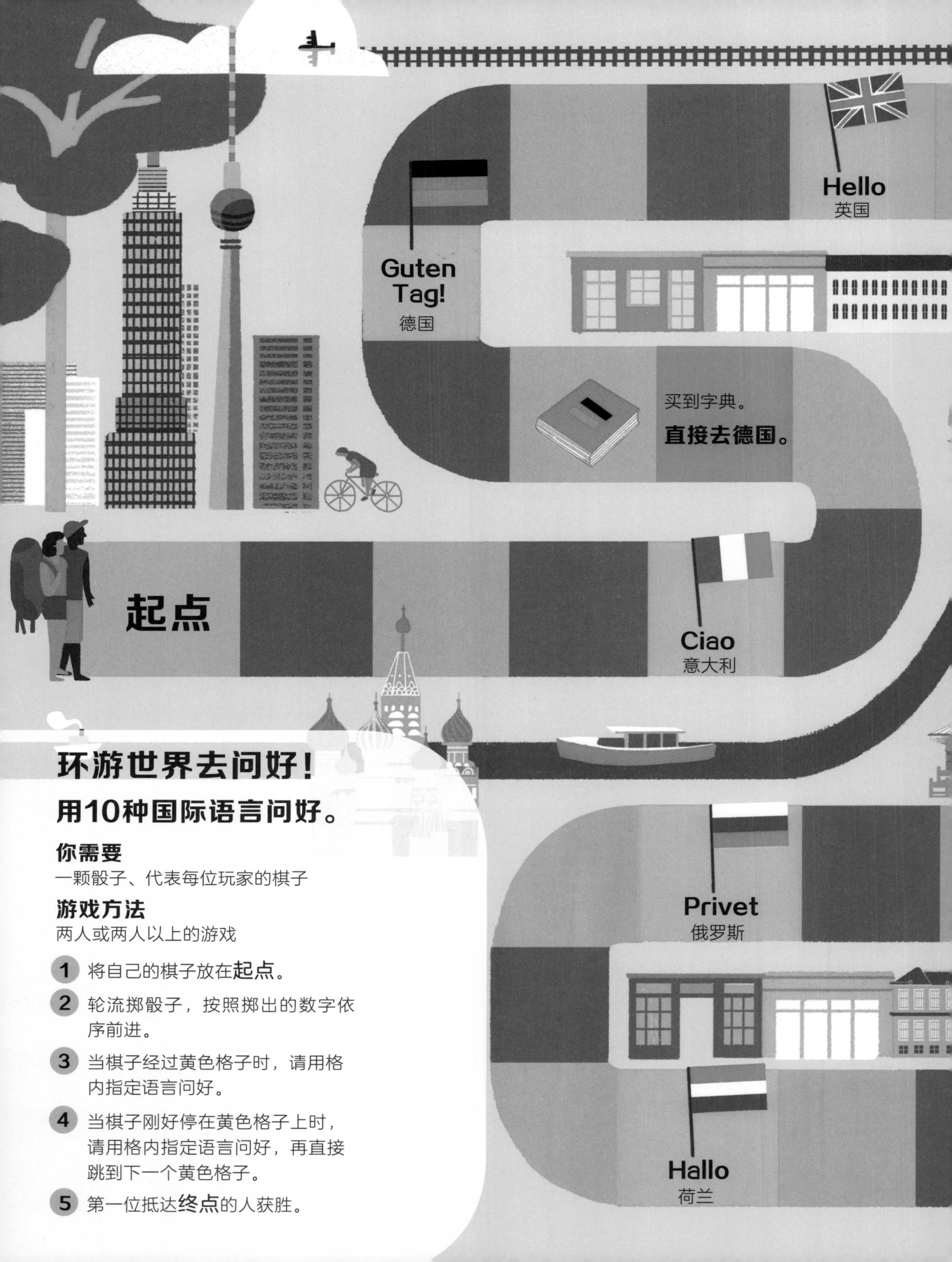

环游世界去问好！

用10种国际语言问好。

你需要

一颗骰子、代表每位玩家的棋子

游戏方法

两人或两人以上的游戏

1. 将自己的棋子放在**起点**。
2. 轮流掷骰子，按照掷出的数字依序前进。
3. 当棋子经过黄色格子时，请用格内指定语言问好。
4. 当棋子刚好停在黄色格子上时，请用格内指定语言问好，再直接跳到下一个黄色格子。
5. 第一位抵达**终点**的人获胜。

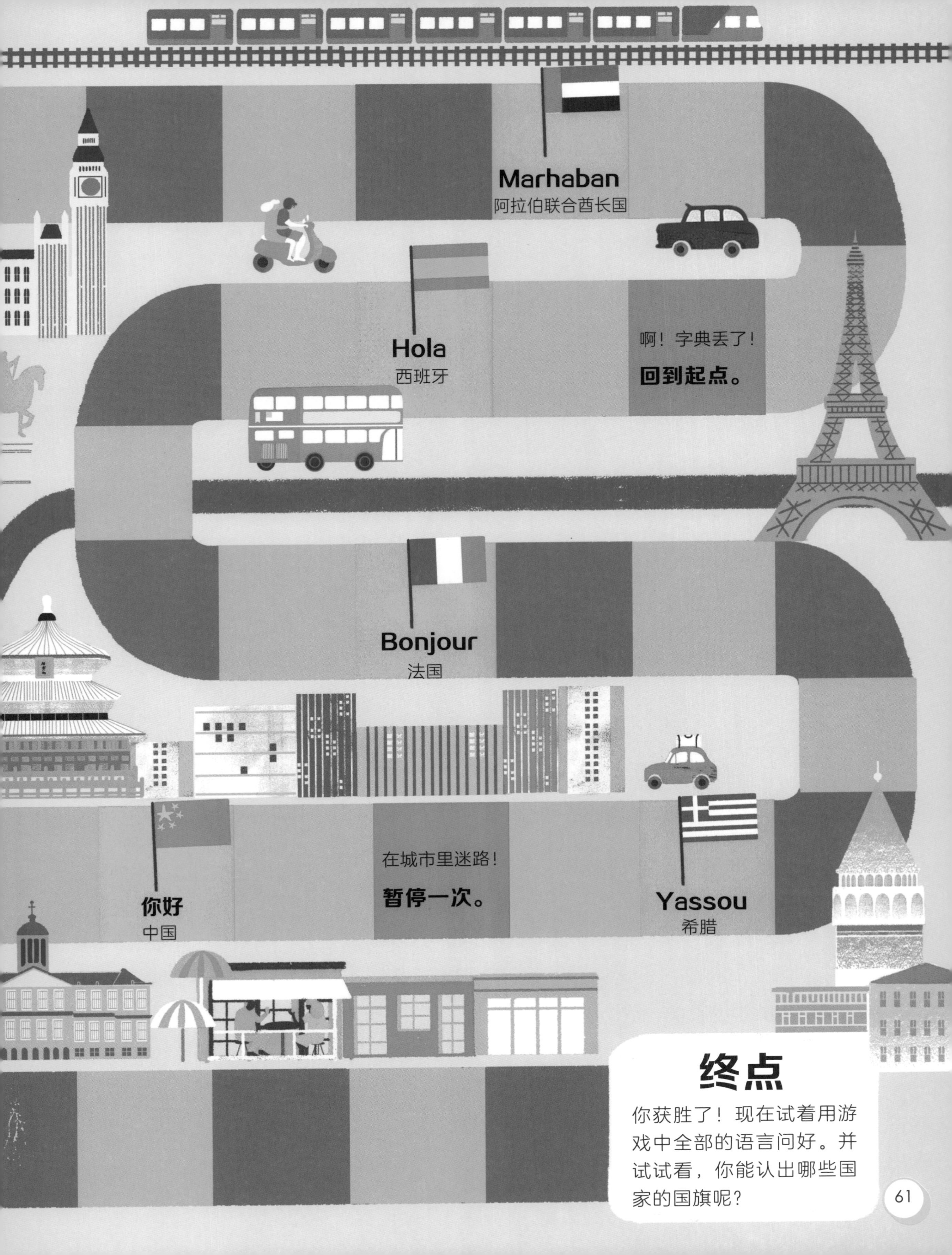
Marhaban
阿拉伯联合酋长国
Hola
西班牙
啊！字典丢了！
回到起点。
Bonjour
法国
你好
中国
在城市里迷路！
暂停一次。
Yassou
希腊
终点
你获胜了！现在试着用游戏中全部的语言问好。并试试看，你能认出哪些国家的国旗呢？

答案

P10-11
房子大不同

P16-17
好玩的材料

对照颜色表，不同颜色代表不同材料。

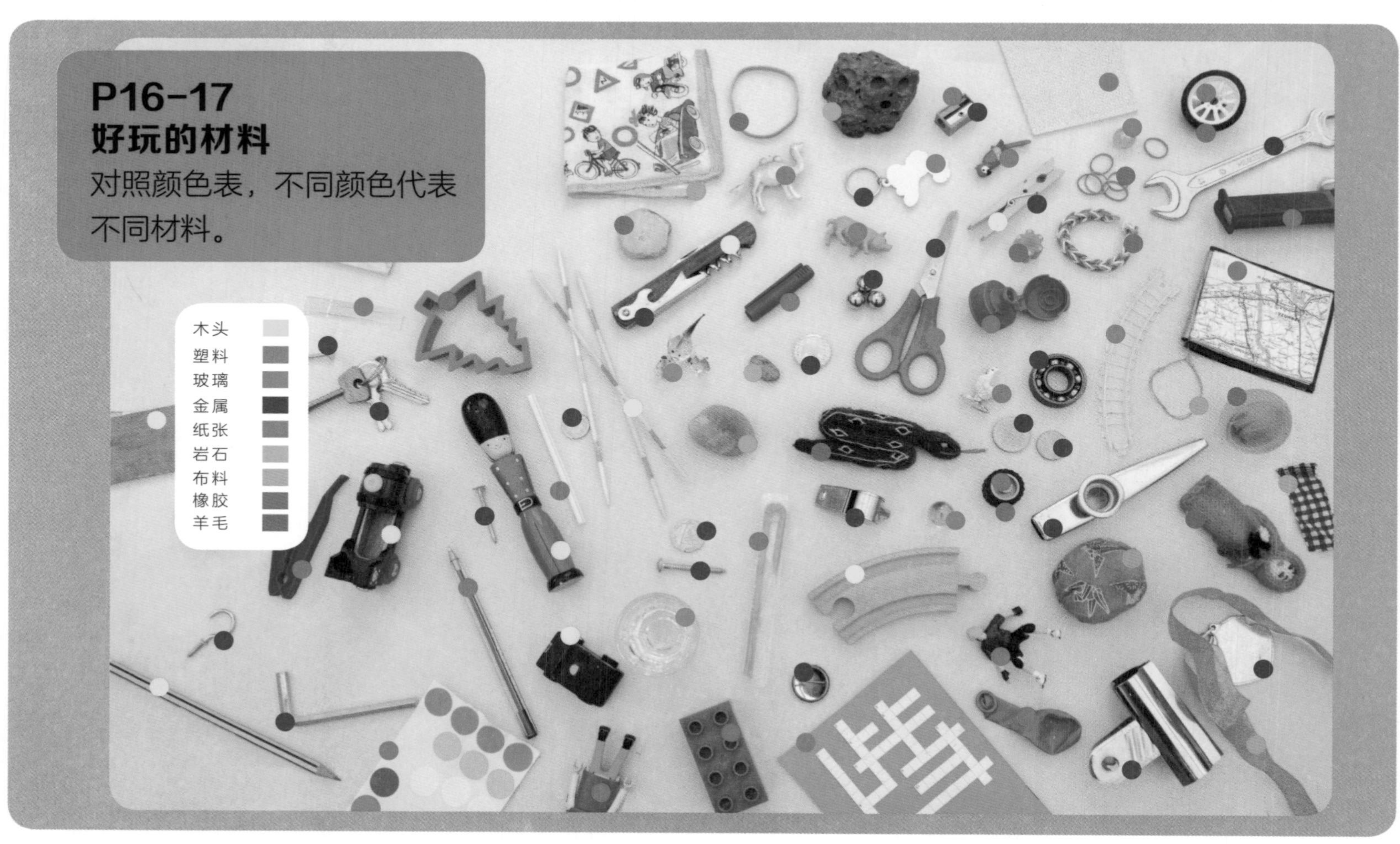

P18-19 该用什么材料呢？

锤子：金属　行李箱：塑料　弹力球：橡胶　毛衣：羊毛　眼镜：玻璃　自行车：金属

P39 跟着电线走

哪几种电器的插头没有插入插座呢？

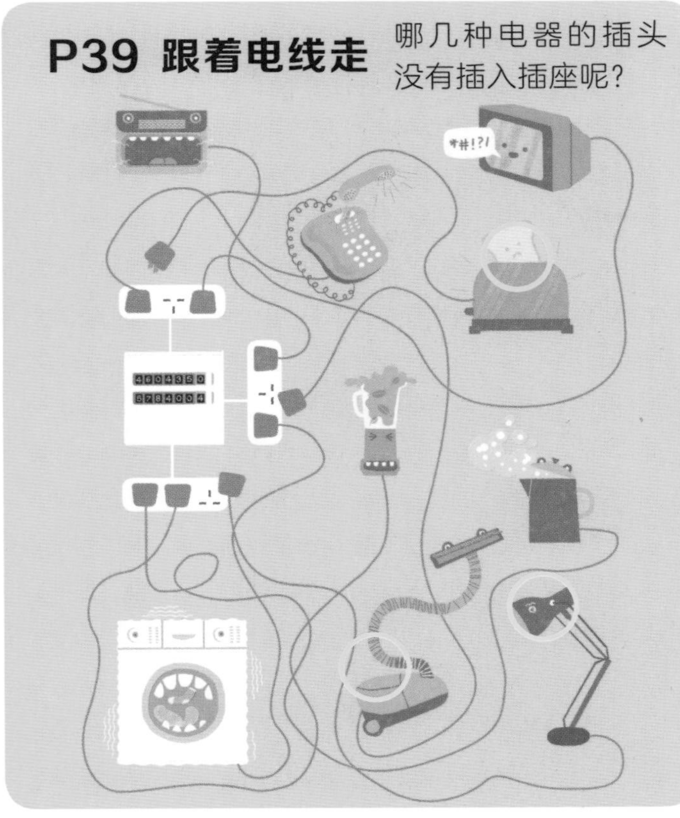

P40-41 这是哪一种光？

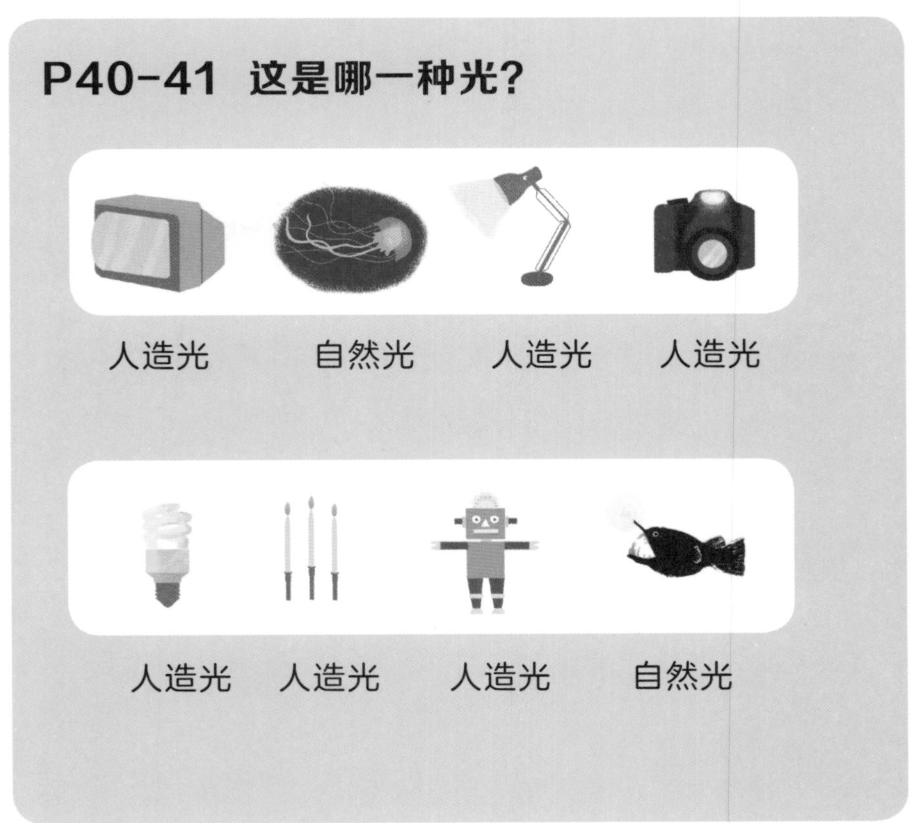

P46-47 乐器家族

对照以下颜色示图，每个颜色代表一类乐器。

- 弦乐家族
- 管乐家族
- 打击乐家族
- 键盘乐家族

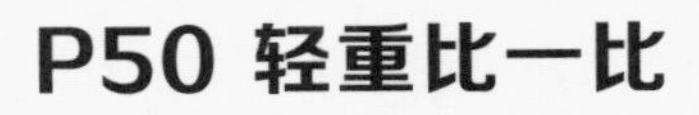

P50 轻重比一比

什么比红色轿车轻？
两个答案：

什么比红色轿车重？
一个答案：

P52-53 各种交通工具

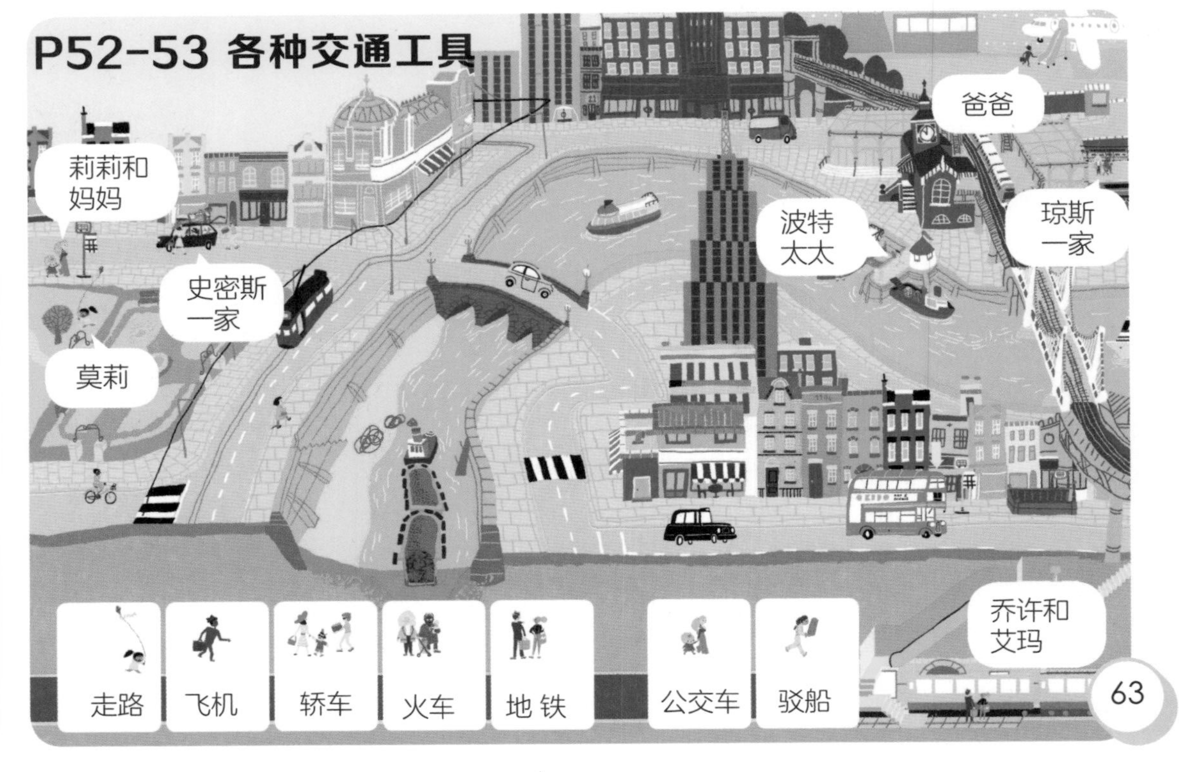

活动索引

手工

纸盘游戏

美食

动脑时间

侦探游戏

手指游戏

自然科学小实验

图书在版编目（CIP）数据

从影子到机器人透视科学书 /（法）苏菲·多瓦文 ；英国OKIDO工作室图 ；林德怡译. -- 北京 ： 北京联合出版公司，2018.5

（启发精选神奇透视绘本）

ISBN 978-7-5596-2091-0

Ⅰ. ①从… Ⅱ. ①苏… ②英… ③林… Ⅲ. ①科学知识－少儿读物 Ⅳ. ①Z228.1

中国版本图书馆CIP数据核字(2018)第094624号

著作权合同登记 图字：01-2018-2780号

How Things Work

Published by arrangement with Thames & Hudson Ltd, London
How Things Work © 2015 OKIDO
the arts and science magazine for kids
www.okido.co.uk
Written by Dr. Sophie Dauvois
Illustration and Design by OKIDO @ Doodle Productions:
Alex Barrow, Sophie Dauvois, Maggie Li and Rachel Ortas
This edition first published in China in 2018 by Beijing Cheerful Century Co., Ltd, Beijing

从影子到机器人透视科学书
（启发精选神奇透视绘本）

文：〔法〕苏菲·多瓦 图：〔英〕OKIDO工作室 翻译：林德怡
选题策划：北京启发世纪图书有限责任公司
台湾麦克股份有限公司
责任编辑：刘 恒
特约编辑：谢灵玲 陈叶君 特约美编：陈亚南 刘邵玲

北京联合出版公司出版
（北京市西城区德外大街83号楼9层 100088）
恒美印务（广州）有限公司印刷 新华书店经销
字数105千字 787毫米×1092毫米 1/8 印张9
2018年5月第1版 2018年5月第1次印刷
ISBN 978-7-5596-2091-0
定价：68.00元